DIE BIBF

REZEPTE

UNGESÜSST

3 in 1

+150 gesunde, einfache und
leckere Rezepte

M. Albrecht, C. Kuhn, Kr. Haas

Alle Rechte vorbehalten.

Haftungsausschluss

Sommario

ZUCKERFREIES DIÄT KOCHBUCH

Über 50 gesunde, einfache und köstliche Rezepte

Kristen Haas

EINFÜHRUNG

Zucker ist kalorienreich, verursacht Karies, kann zu Fettleibigkeit führen und Krankheiten wie Diabetes fördern. Die Weltgesundheitsorganisation WHO rät so sehr dazu, dass wir unsere Zuckeraufnahme reduzieren. Es sollten nicht mehr als 6 Teelöffel pro Tag sein. Nach Angaben der Deutschen Ernährungsgesellschaft (DGE) liegt die Aufnahme von freiem Zucker in Deutschland deutlich über der Empfehlung, nämlich 61 g / Tag für Frauen und 78 g / Tag für Männer. Aber wie schaffen Sie es, 10 Teelöffel einzusparen und im Alltag eine zuckerfreie oder zuckerarme Ernährung einzuführen?

Das Problem ist, dass fast alle Lebensmittel Zucker enthalten, wenn auch in verschiedenen Formen: Haushaltszucker (Saccharose), Traubenzucker (Glucose), Fructose ... Es ist also ziemlich kompliziert, Zucker vollständig zu vermeiden. Wir geben Ihnen jedoch einige Tipps, wie Sie trotzdem so zuckerfrei wie möglich essen können

ZUCKERFREIE ERNÄHRUNG: IST DAS AUCH MÖGLICH?

Ich benutze Zucker kaum zum Süßen, könnte der eine oder andere jetzt denken. Richtig, der reine Haushaltszucker wird im Alltag nicht so oft verwendet. Es ist jedoch in sehr vielen Fertiggerichten enthalten. In der Pizza zum Beispiel Brot, Fruchtjoghurt, Wurst und natürlich Süßigkeiten, Schokolade, Kuchen, Kekse ... Und ja, die meisten essen ziemlich viel.

Eine völlig zuckerfreie Ernährung ist kaum möglich und muss es auch nicht sein. Darf gar nicht sein! Weil Zucker (aber nur in einer bestimmten Form) der Treibstoff für unseren Körper ist, ohne ihn könnten wir nicht leben. Es ist wichtig, dass Sie Lebensmittel mit verstecktem Zucker kennen und reduzieren.

Zu viel Zucker ist schädlich

WARNUNG, ZUCKERFALLE

Wer 100% zuckerfreie Lebensmittel sucht, wird enttäuscht sein. Weil in fast allen Lebensmitteln etwas Zucker enthalten ist. Trotzdem gibt es natürlich Produkte, die mehr Zucker enthalten als andere: Süßigkeiten, Eis oder Kuchen schreien fast "Zucker". Es ist gut, dies zu reduzieren, aber nicht genug, wenn Sie auf eine zuckerfreie oder zuckerarme Ernährung achten möchten.

Wenn Sie so "zuckerfrei" wie möglich essen möchten, sollten Sie versuchen, sich so oft wie möglich selbst zu kochen und Fertiggerichte zu vermeiden. Indem Sie Ihre Mahlzeiten selbst mit frischen, natürlichen Produkten zubereiten, reduzieren Sie garantiert Ihren Zuckerkonsum.

ZUCKERFREIE ERNÄHRUNG: FRISCHES KOCHEN IST EIN MUSS

Wenn Sie solche Produkte kaufen, achten Sie auf die Liste der Zutaten. Denn hinter Zucker stehen verschiedene Begriffe: Glukose, Fruktose, Maltose, Maltodextrin, Sirup, Maltoextrakt.

Zucker ist nicht nur ein großartiger Geschmacksträger, sondern kann auch als Konservierungsmittel oder Verdickungsmittel zugesetzt werden. Jeder, der jemals selbst Marmelade gemacht hat, weiß, wie lange die Marmelade durch Zugabe von Zucker haltbar ist ...

JENE, DIE NACH EINER NIEDRIGZUCKER- ODER ZUCKERFREIEN DIÄT streben, sollten diese Lebensmittel vermeiden:

- Cornflakes und fertiges Müsli
- Weißbrot und Toast
- Fruchtjoghurt
- Süßigkeiten
- Kuchen und Torten
- Pommes und Brezelsticks
- Ketchup
- Fast Food und Fertiggerichte
- Alkoholfreie Getränke

Wie gut sind Zuckeralternativen?

Möchten Sie lieber Süßstoffe oder Honig anstelle von Zucker verwenden? Sie müssen nicht ganz auf Süße (n) verzichten, wenn Sie Ihren Zuckerkonsum reduzieren möchten. Weil es viele Alternativen zu Haushaltszucker gibt, z. B. Honig, Agavensirup, Stevia oder verschiedene Süßstoffe. Jeder hat seine Vor- und Nachteile:

Honig und Agavensirup: Enthalten auch viel Zucker, ähnlich kalorienreich und können zu Karies führen.

Stevia: ist besser, weil es 0 Kalorien enthält und immer noch ganz natürlich ist. Der Geschmack ist jedoch gewöhnungsbedürftig.

Auf der anderen Seite sollten Sie Süßstoffe vermeiden, sie sind immer noch Gegenstand von Kritik.

Gesünder und weniger Kalorien: Hier finden Sie noch mehr Ideen für köstliche Zuckeralternativen!

Unser Tipp: Nehmen Sie echten Zucker, wenn Sie etwas süßen möchten, aber reduzieren Sie die Menge schrittweise. Zitrone zum Beispiel schmeckt auch im Tee sehr gut.

Ist Honig wirklich gesünder als Zucker?

Die besten Tipps für eine zuckerfreie Ernährung

Möchten Sie eine zuckerarme oder zuckerfreie Diät ausprobieren? Dann halten Sie sich am besten an folgende Tipps:

Kocht so frisch wie möglich und verwendet keine fertigen Produkte.

Essen Sie so oft wie möglich unverarbeitete Lebensmittel wie Obst, Gemüse, Fleisch, Eier oder Haferflocken. Milch, Naturjoghurt, Quark oder Käse sind ebenfalls gute Alternativen.

Eliminiert Zucker und Süßstoffe in Getränken

Trinken Sie Wasser und Kräuter- oder Früchtetee anstelle von Soda und Saft.

Lernen Sie, Süßigkeiten mit Vergnügen zu essen - dann hat Heißhunger keine Chance und ein Stück Schokolade ist genug.

Zuckerfreie Ernährung: kleines Experiment

Zucker ist wie Salz: Unser Körper und insbesondere unsere Geschmacksknospen gewöhnen sich schnell an "zu viel" Gutes: Wer viel Zucker isst, braucht immer mehr Süße für einen optimalen Geschmack.

Mit anderen Worten: Sie süßen viel stärker, weil alles andere sauer schmeckt oder wie nichts schmeckt.

Umgekehrt bedeutet dies auch, dass Sie, wenn Sie wenig Zucker essen, das Aroma viel intensiver schmecken und dementsprechend auch weniger süßen müssen.

Achten Sie eine Woche lang genau auf alles, was Sie essen. Schreiben Sie alle zuckerreichen Lebensmittel auf und lassen Sie sie nach und nach weg, um Ihren Zuckerkonsum zu reduzieren. Sie werden sehen: Schon nach wenigen Wochen schmecken Sie Zucker viel deutlicher. Und vieles, was Sie vorher gut geschmeckt haben, ist plötzlich zu süß ... Manchmal ist weniger mehr!

Portionen: 1

ZUTATEN

- 1 Tasse Haferflocken
- 1 Tasse Milch, Mandelmilch für mich
- Banane (n), reif
- ½ TL   Backpulver, optional
- Kokosöl zum Backen
- Auch: zum Servieren
- n. B. B. Früchte, frisch
- n. B. B. Ahornsirup

VORBEREITUNG

Für eine feine Konsistenz zuerst die Haferflocken im Mixer fein mahlen. Dann die Milch, die Banane und das Backpulver hinzufügen und alles pürieren. Als schnelle Variante können alle Zutaten auch zusammen püriert werden. Lassen Sie den Teig 10 Minuten lang quellen.

Das Kokosöl in einer beschichteten Pfanne erhitzen. Für jeden Pfannkuchen 1 - 2 Esslöffel Teig in die Pfanne geben und die Pfannkuchen auf beiden Seiten bei mittlerer Hitze etwa zwei Minuten lang backen.

Die Pfannkuchen auf einen Teller stapeln und mit frischem Obst und Ahornsirup servieren

SÜSSE FRÜHSTÜCKROLLEN

Portionen: 1

ZUTATEN

- 250 ml Wasser (warm
- 1 pck. Trockenhefe
- 6 TL Honig
- 500 g Weizenmehl
- 1 Teelöffel Salz-
- Möglicherweise.   Sonnenblumenkerne, Haferflocken usw.

VORBEREITUNG

Gießen Sie das warme Wasser in ein Glas und lösen Sie die Hefe und den Honig darin auf. Das Mehl in eine Schüssel sieben, das Salz und die Honig-Hefe-Mischung hinzufügen und zu einem Teig kneten. Der Teig ist fertig, wenn nichts an Ihren Händen haftet. Fügen Sie möglicherweise etwas mehr Mehl hinzu.

Formen Sie nun kleine Brötchen von der Größe von Tischtennisbällen und legen Sie sie auf ein mit Backpapier ausgelegtes Backblech. Falls gewünscht, Sonnenblumenkerne, Haferflocken oder Leinsamen auf den Brötchen verteilen und andrücken.

Decken Sie das Tablett mit einem Küchentuch ab und lassen Sie es 30 Minuten ruhen.

Dann backen Sie die Brötchen bei 200 ° C für ca. 15-20 Minuten, bis sie leicht gebräunt sind.

SÜSSKARTOFFELBROWNIES

Portionen: 6

ZUTATEN

- 2 Tasse / n Haferflocken, zart
- 1 groß Süßkartoffel
- 200 g Dattel (s) (Medjool Datteln), entkernt
- 30 ml Kokosöl, jungfräulich
- ¼ Tasse Kakaopulver, ungesüßt, vorzugsweise Rohkostqualität
- 2 Teelöffel Chia-Samen
- etwas Vanille, gemahlen
- etwas Zimt
- 1 Prise (n) Meersalz
- etwas Walnüsse
- etwas Wasser

VORBEREITUNG

Waschen Sie zuerst die Süßkartoffel, stechen Sie mit einer Gabel ein paar Löcher hinein und backen Sie sie dann bei etwa 200 ° C, bis der Süßsaft herauskommt. Dann sollte es weich genug sein. Um schneller zu arbeiten, schneiden Sie die Süßkartoffel einfach in fingergroße Stücke und schieben Sie sie entweder bei 200 ° C in den Ofen oder kochen Sie sie im Dampfgarer über Wasser, bis sie weich ist.

Während die Süßkartoffel kocht, die entkernten Medjool-Datteln in warmem Wasser einweichen, das Kokosöl in einem Wasserbad schmelzen und das Haferflocken in einer Küchenmaschine zu feinem Mehl verarbeiten. Dann das Haferflockenmehl zusammen mit einer Prise Meersalz, Zimt, Vanille und Kakaopulver in eine Rührschüssel geben. Verarbeiten Sie dann die zwei Teelöffel Chiasamen mit etwa der dreifachen Menge Wasser, um Chia-Gel herzustellen. Dies dient dazu, den Brownie-Teig zu binden.

Die Süßkartoffel sollte jetzt fertig sein. Nehmen Sie es aus dem Ofen (oder Topf) und entfernen Sie gegebenenfalls die Schale. Zieh es einfach mit deinen Fingern ab, heiß!

Dann wird die Süßkartoffel zusammen mit dem Kokosöl, den eingeweichten Datteln und etwas Einweichwasser in der Küchenmaschine zu einer homogenen dicken Sahne zerkleinert. Das macht die Brownies am Ende schön saftig.

Nun die Sahne und das Chia-Gel zur Mehlmischung geben und alles mit einem Handmixer kneten. Walnüsse hacken und unterheben.

Zum Schluss den fertigen Brownie-Teig in eine geeignete Brownie-Backform geben und ca. 30 Minuten bei 180 ° C im Ofen backen. Alternativ ist auch eine Auflaufform möglich. Dazu ist es am besten, sie vorher mit Kokosnussöl einzufetten.

Nehmen Sie die Pfanne aus dem Ofen und schneiden Sie rechteckige Stücke in den Kuchen.

Tipp: Anstelle von Walnüssen können Sie dem Teig auch andere Nüsse oder getrocknete Früchte wie Paranüsse oder getrocknete ungesüßte Feigen hinzufügen. Es können mehrere gleichzeitig ausgeführt werden.

Wenn Sie keinen Zimt mögen, lassen Sie ihn einfach weg. Aber er dominiert nicht sehr viel.

ROHES LEBENSMITTEL "SCHOKOLADE"

Portionen: 1

ZUTATEN

- 100 g   Kokosnussöl
- 25 g   Kakaopulver
- 50 g   Datum
- etwas   Wasser

VORBEREITUNG

Geben Sie das feste Kokosöl in eine Glasschüssel und erhitzen Sie es in einem Wasserbad, bis es flüssig wird. Für das Wasserbad wird warmes Wasser aus dem Wasserhahn empfohlen, um die Temperatur von 42 ° C nicht zu überschreiten.

Gleichzeitig mischen Sie die Datteln mit etwas Wasser, um ein Püree zu erhalten.

Das Püree zusammen mit dem Kakaopulver in eine große Schüssel geben und das flüssige Kokosöl einfüllen. Mischen Sie die Mischung gut und fügen Sie ein wenig Vanille hinzu, wenn Sie möchten.

Es ist Zeit, die Formen zu füllen. Wenn Sie keine Schokoladenformen haben, können Sie auch Backformen verwenden. Sie können Preiselbeeren oder grob gemahlene Datteln auf die Schokoladenmasse streuen.

Eine Stunde im Kühlschrank abkühlen lassen.

SCHOKOLADENAUFSTRICH

Portionen: 1

ZUTATEN

- 100 g   Kokosöl, heimisch
- 2 EL   Mandelbutter
- 15 ..   Datum
- 1 EL   Kakao, leicht entölt
- n. B. B. Cashewkerne
- n. B. B. Gehackte Mandeln

VORBEREITUNG

Das Kokosöl in einem Wasserbad verflüssigen.

Stein die Datteln und pürieren Sie sie zusammen mit der Mandelbutter.
Fügen Sie das flüssige Kokosöl hinzu und fügen Sie dann den Kakao
und die Cashewnüsse hinzu.

Einige gehackte Mandeln in die Sahne geben und in den Kühlschrank
stellen. Gelegentlich umrühren.

Die Menge ergibt ein gefülltes Glas mit einem Fassungsvermögen von 200 g und einen kleinen Frischkäsebecher mit einem Fassungsvermögen von 150 g.

APPLESAUCE YEAST PLAIT

Portionen: 1

ZUTATEN

- 500 g   Mehl
- 100 g   Apfelsoße
- 5 g   Salz-
- 250 ml Milch, lauwarm
- 21 g   Hefe, frisch

VORBEREITUNG

Persönlich mache ich am Anfang nie einen Vor-Teig, weil er ohne ihn immer wunderbar funktioniert und ich ihn daher nicht brauche. Aber wenn Sie eines machen möchten, können Sie es gerne so machen, wie Sie es kennen.

Alle Zutaten in eine Schüssel geben und mindestens 10 Minuten lang kräftig kneten, entweder mit der Maschine oder mit den Händen. Hauptsache, sie werden lange geknetet, bis ein glatter Teig entsteht. (Sie sollten den Hefeteig lange kneten, damit sich der Mehlkleber lockern und richtig binden kann.)

Decken Sie den Teig ab und lassen Sie ihn mindestens 1-2 Stunden an einem warmen Ort ruhen, bis der Teig sein Volumen deutlich vergrößert hat, aber auch das kann länger dauern. (Natürlich können Sie all dies auch im Brotbackautomaten zubereiten lassen)

Nach dem Ausruhen oder Aufgehen den Hefeteig wieder kräftig schlagen und gut kneten. (Es sollte nicht mehr kleben, aber wenn dies der Fall ist, ein wenig Mehl einkneten ODER den Teig einfach in eine Form geben, muss kein zusätzliches Mehl hinzugefügt werden.)

Teilen Sie nun den Teig in 3 Teile und rollen Sie sie in gleich lange Stränge, die nicht zu dünn sein sollten. Jetzt flechten sie zu einem engen Geflecht.

Legen Sie das Geflecht auf ein gut gefettetes Tablett oder auf ein mit Backpapier ausgelegtes Backblech und decken Sie es weitere 30 Minuten ab, bis der Teig sein Volumen sichtbar vergrößert hat.

Backen Sie das Geflecht nun in einem vorgeheizten Ofen bei 180 ° C oben / unten oder 165 ° C für gut 30 Minuten. Jeder Ofen heizt anders, daher kann es etwas länger dauern, aber bitte lassen Sie ihn nicht zu dunkel werden, da sonst das Geflecht zu trocken wird.

Das Geflecht wird sehr locker und flauschig und bleibt lange frisch.

Wenn Sie möchten, können Sie dem Teig auch Rosinen hinzufügen.

Es schmeckt besonders gut mit Dinkel oder Vollkornmehl, aber Sie sollten hier mehr Flüssigkeit verwenden.

DIE BESTEN LOW CARB PANCAKES

ZUTATEN

- 50 g   Protein Pulver
- 20 g   Flohsamenschalen
- 4 Eier)
- 500 ml Milch

VORBEREITUNG

Schneebesen. Milch einfüllen, bis eine dicke Masse entsteht. Die
Flohsamenschalen quellen weiter auf, daher ist es am besten, die
Mischung 5 Minuten stehen zu lassen und dann einen weiteren Schluck
Milch einzuschenken.

Ich nehme eine kleine Pfanne zum Braten. Die Pfannkuchen haben also
die richtige Größe, damit Sie sie leicht drehen können. Sie steigen ein
wenig in die Pfanne, fallen dann aber zu normalen Pfannkuchen auf dem
Teller zusammen.

Portionen: 1

ZUTATEN

- 2   Eier)
- 200 g   Apfelmus, ungesüßt
- 200 g   Mehl, Vollkorn (zB Dinkelmehl)
- 100 g   Haferflocken
- 500 g   Äpfel
- 1 ½ Packung   Backpulver
- 150 g   Magerquark
- n. B. B. Süßstoff
- n. B. B. Rosinen
- Zimt

VORBEREITUNG

Mischen Sie die Eier mit Apfelmus, fettarmem Quark und Vollkornmehl. Die Haferflocken mit dem Stabmixer zerdrücken und einrühren. Das Backpulver und die gewünschten Gewürze sowie den Süßstoff hinzufügen (Menge je nach Geschmack). Wenn Sie möchten, können Sie jetzt die Rosinen unterheben und schließlich die gehackten, geschälten Äpfel hinzufügen.

Eine Laibpfanne (28 x 11 cm) mit Backpapier auslegen und den Teig ausfüllen. Backen Sie für ca. 40 - 45 Minuten bei 160 ° C (heiße Luft, vorgewärmt). Verwenden Sie die Stabprobe, um zu testen, ob der Teig durchgebacken ist.

Natürlich schmeckt es nicht wie ein „echter" Apfelkuchen, aber mit diesem Rezept müssen Sie sich keine Sorgen um 1 kg mehr machen, wenn Sie zu viel davon gegessen haben. Es ist auch sehr saftig.

Das ganze Brot hat 1680 kcal ohne Rosinen und wiegt 1200 g.

CREAMY COCONUT ICE CREAM

Portionen: 6

ZUTATEN

- 1 Dose Kokosmilch (400 ml)
- 1 Dose Kokosmilch, fettarm (270 ml), alternativ normale Kokosmilch
- 3 EL Stevia (50 g)
- ½ TL Vanilleextrakt
- ½ TL Vanille, gemahlen
- 25 g Kokosnussmehl

VORBEREITUNG

Stellen Sie die Kokosmilchdosen über Nacht (mindestens 8 Stunden) in den Kühlschrank. Drehen Sie die vollfette Kokosmilchdose um und öffnen Sie sie. Lassen Sie den flüssigen Teil ab und verwenden Sie ihn für Smoothies oder zum Kochen.

Den festen Teil der Kokosmilch in eine Schüssel geben. Fügen Sie den Inhalt der fettarmen Kokosmilchdose hinzu. Fügen Sie Stevia, Vanilleextrakt und gemahlene Vanille hinzu und schlagen Sie die Mischung mit dem Mixer etwa 10 Minuten lang cremig. Um die Masse zu verdicken, fügen Sie das Kokosmehl hinzu und schlagen Sie es erneut.

Gießen Sie die Creme in eine Schüssel oder einen geeigneten Behälter für den Gefrierschrank, decken Sie sie ab und frieren Sie sie 4 Stunden lang ein. Das Eis wird ohne Eismaschine cremiger, wenn das Eis regelmäßig gerührt wird. Rühren Sie die Mischung am besten alle halbe Stunde um.

Lassen Sie das Eis vor dem Servieren 15 Minuten auftauen und portionieren Sie es wie gewünscht.

Ein kühles Eis an heißen Sommertagen ist einfach ein Teil davon! Da ich alles mit Kokosnuss liebe, freue ich mich über dieses köstliche Kokosnusseis. Es ist super einfach mit nur wenigen Zutaten zuzubereiten und bei Verwendung von Stevia zuckerfrei.

BIG MAC SALAD LOW CARB

Portionen: 2

ZUTATEN

- 400 g   Eisbergsalat
- 400 g   Rinderhack
- 40 g   Zwiebel (Substantiv)
- 125 g   Speck
- 250 g   Gouda, mittleren Alters (in Scheiben geschnitten)
- Salz und Pfeffer
- 160 g   Mayonnaise, zuckerfrei
- 25 g   Ketchup, zuckerfrei
- 15 g   Senf, zuckerfrei
- 120 g   Eingelegte Gurke (n), zuckerfrei
- 15 ml   Gurkenflüssigkeit
- 65 ml   Wasser
- 1 Teelöffel   Zitronensaft
- 10 Tropfen   Flüssiger Süßstoff

VORBEREITUNG

Für das Salatdressing die Gurken in sehr feine Würfel schneiden.
Mayonnaise, Ketchup, Senf, Wasser und Gurkenbrühe zu einem
Dressing mischen. Die eingelegten Gurken hinzufügen, mit Zitronensaft
und ein paar Tropfen Süßstoff würzen. Lassen Sie das Salatdressing ca.
30 Minuten im Kühlschrank einweichen.

In der Zwischenzeit den Eisbergsalat reinigen, in 1 cm breite Streifen
schneiden, waschen und trocken schleudern. Schneiden Sie den Gouda in
dünne Stäbchen. Dies geschieht am besten mit Gouda mittleren Alters in
Scheiben.

Den Speck in einer Pfanne knusprig braten und zum Abtropfen auf
Papiertücher legen.

Die Zwiebel in Würfel schneiden und im Speckfett anbraten. Fügen Sie
das Hackfleisch hinzu und braten Sie es bröckelig an. Mit Pfeffer und
Salz würzen. Die Hälfte der Gouda-Sticks auf dem Hackfleisch verteilen.
Setzen Sie einen Deckel auf die Pfanne und lassen Sie den Käse bei
schwacher Hitze einige Minuten schmelzen.

Die andere Hälfte der Gouda-Sticks mit etwa 3/4 des Eisbergsalats
mischen und in eine große Schüssel geben. Das warme Hackfleisch auf
dem Salat verteilen. Den restlichen Eisbergsalat darauf legen und mit
dem in Stücke zerbröckelten Speck bestreuen. Sofort servieren.

APPLESAUCE KISSEN FÜR BABYS

Portionen: 1

ZUTATEN

- 200 g   Butter
- 200 g   Quark (Quark)
- 200 g   Mehl
- 200 g   Apfelmus, zuckerfrei, am besten hausgemacht
- Mehl für die Arbeitsfläche

VORBEREITUNG

Einen Teig aus Quark, weicher Butter und Mehl kneten und in den Kühlschrank stellen.

Den Teig dünn auf einer bemehlten Arbeitsfläche ausrollen, je nach Wunsch 3 - 5 mm. Verwenden Sie genügend Mehl und verarbeiten Sie den Teig kalt, damit nichts klebt. Schneiden Sie den Teig in kleine Quadrate, 5 x 5 bis 8 x 8 cm ist ideal für kleine Hände.

Geben Sie einen kleinen Tropfen Püree in die Mitte jedes Quadrats, je nach Größe 1/2 - 1 Teelöffel. Falten Sie dann die Quadrate zu Dreiecken zusammen und drücken Sie auf die Kanten, damit nichts herausläuft. Wenn noch etwas übrig ist, können Sie es zum Eintauchen hinzufügen oder einfach sofort essen.

15 Minuten bei 180 Grad backen. Sie sind im warmen Zustand noch ziemlich weich, werden dann aber fester.

Für die älteren Kinder und Eltern können Sie auch Marmelade zum Füllen verwenden und mit Puderzucker bestreuen. Gefrorene Beeren sind auch eine zuckerfreie Option für Babys.

Wir machen das Püree immer in großen Mengen am Ende des Sommers, wenn die Äpfel in allen Gärten reif sind und übrig bleiben. Dann frieren wir es in Silikon-Muffinbechern ein. Im gefrorenen Zustand wird alles in Plastiktüten gepresst und wir haben immer leckeres, ungesüßtes Püree.

ROW WINE CAKE MIT NIEDRIGEM KARBEN

Portionen: 1

ZUTATEN

Für den Teig:

- 300 g   Butter, weich
- 5   Ei (e), Größe M.
- 300 g   Xylitol (Zuckerersatz)
- 150 ml Rotwein
- 300 g   Mandelmehl, Macadamia-Mehl oder Haselnussmehl, entölt
- 1 Teelöffel, gehäuft   Guarkernmehl für eine bessere Bindung
- 2 Teelöffel   Backpulver
- 1 Prise (n)   Salz-
- 1 Teelöffel   Zimt
- 1 Teelöffel   Kakao zum Backen
- 150 g   Schokolade, dunkel, zuckerfrei

Ebenfalls:

- Etwas Butter für den Schimmel
- Etwas Mandelmehl zum Abstauben der Form
- 30 g   Nuss-Nougat-Creme, falls nötig mehr
- Möglicherweise. Haselnüsse

VORBEREITUNG

Den Backofen auf 170 ° C vorheizen. Butter, Eier und Xylit schaumig schlagen. Rotwein, Mandelmehl, Guarkernmehl, Backpulver, Salz, Zimt und Kakao einrühren. Die Schokolade in kleine Stücke schneiden und untermischen.

Eine Bundt-Kuchenform gut mit Butter einfetten und mit Mandelmehl bestreuen, dann den Teig einfüllen und glatt streichen. Legen Sie den Kuchen 75 Minuten lang bei 170 ° C in den Ofen. Überprüfen Sie es immer; nicht, dass der Kuchen zu dunkel ist. In diesem Fall die Temperatur senken oder den Kuchen mit Aluminiumfolie abdecken. Der Stick-Test zeigt dann, ob der Kuchen durchgebacken wurde. Wenn nötig, lassen Sie den Kuchen länger im Ofen.

30 g Haselnuss-Nougat-Creme in der Mikrowelle erhitzen und als Glasur über den Kuchen träufeln. Wenn Sie möchten, können Sie auch mehr Glasur nehmen und mit Haselnüssen bestreuen.

Der kohlenhydratarme Rotweinkuchen enthält ca. 344 Kcal pro Portion.

Portionen: 4

ZUTATEN

- 1 pck. Beeren, ca. 400 g, frisch oder gefroren
- 200 ml Kokosnusswasser

VORBEREITUNG

Die Früchte in den Eisbehälter oder die Eisform geben und mit
Kokoswasser auffüllen. Stellen Sie die Formen in den Kühlschrank und
lassen Sie sie etwa vier bis sechs Stunden lang einfrieren.

HOMEMADE RAW BITE BARS

Portionen: 1

ZUTATEN

- 10   Datum
- 30 g   Mandel (Substantiv)
- 30 ml   Wasser
- 1 EL   Kakaopulver

VORBEREITUNG

Die Mandeln 20-30 Minuten im Wasser einweichen. Schneiden Sie die Datteln und geben Sie sie mit Mandeln, Wasser und Kakaopulver in einen Mixer. Püree, je nachdem wie klobig es dir gefällt.

Nun die Mischung in Riegel formen und in eine Dose mit Frischhaltefolie geben und mindestens 1 Stunde in den Kühlschrank stellen.

Sie sollten eine Weile dort bleiben.

Sie können auch in Nüssen, Kakao oder dergleichen gerollt werden.

APPLESAUCE CREAM CAKE

Portionen: 1

ZUTATEN

- 500 g   Apfelmus oder Apfelmus, ungesüßt
- 1 pck. Gelatinepulver für 500 ml
- 200 ml Soja-Sahne (Soja-Sahne-Küche), Kokos-Sahne oder ähnliches
- 1 Beutel / n Cremeversteifung
- 250 g   Kidneybohnen in Dosen
- 1 EL   Kakaopulver
- 3   Eier)
- 100 g   Quark
- 50 g   Süßstoff (Xylit, Erithritol ...) in Stevia die Menge, um 70 g Zucker zu ersetzen
- 1 ½ TL Backpulver
- Möglicherweise. Aroma (Backaroma für die Basis)
- Etwas Butter für die Form oder Backpapier

VORBEREITUNG

Zuerst wird der Boden gebacken. Den Backofen auf 180 Grad heiße Luft vorheizen.

Die gespülten Kidneybohnen mit den Eiern pürieren. Dann Quark, Kakao, Backpulver und Süßstoff hinzufügen und - falls gewünscht - Aroma backen und erneut pürieren, bis eine homogene Mischung erhalten wird.

Gießen Sie diese in eine gefettete Pfanne oder eine mit Backpapier ausgelegte Pfanne und backen Sie sie 35 Minuten lang.

Dann den Boden abkühlen lassen.

Belag:

Lassen Sie die Gelatine je nach Packung 500 ml quellen. Ich habe Pulver (1 Beutel) verwendet und es 10 Minuten lang mit 4 - 6 Esslöffeln Wasser quellen lassen. Dies wird dann in einem Topf erhitzt, bis es aufgelöst ist, aber nicht kocht. Dann einen Löffel Apfelpulpe einrühren und den Rest der Mischung unter Rühren nach und nach hinzufügen.

Am besten legen Sie die Basis auf einen Kuchenteller und machen einen Kuchenring darum, dann können Sie die Apfelpulpemischung darüber verteilen.

Lassen Sie nun den Kuchen abkühlen und stellen Sie ihn für ca. 2 Stunden in den Kühlschrank, damit die Gelatine aushärtet.

Dann die gekühlte Sahne mit der Sahneversteifung aufschlagen und auf dem Kuchen verteilen. Sie können auch ein wenig Süße hinzufügen. Dann stellen Sie es am besten wieder in den Kühlschrank, damit die Cremeschicht etwas fester wird.

Bei Bedarf können Sie vor dem Verzehr etwas Kakaopulver über den Kuchen streuen. Es werden 8 Stück erhalten.

Portionen: 1

ZUTATEN

- 75 g   Butter und etwas mehr für die Backform
- 75 g   Zucker oder Xylit
- 1 pck.   Vanillezucker oder etwas Vanille, gemahlen
- Eier)
- 1 Prise (n)   Salz-
- etwas   Zimt
- 4 Tropfen   Aroma
- 280 g   Mehl
- ½ pck. Backpulver
- 120 ml Milch
- 4 Äpfel, 3 können ausreichen
- 120 g   Preiselbeeren, frisch
- Etwas Mandel (n), gemahlen
- Etwas Zucker, Braun oder Xucker Bronze

VORBEREITUNG

Den Backofen auf 160 ° C vorheizen. Eine 28 mm Springform mit Butter bestreichen und mit gemahlenen Mandeln bestreuen.

Rühren Sie die Butter, die bei Raumtemperatur ist, bis sie schaumig ist, gießen Sie den Zucker hinein und rühren Sie weiter. Vanillezucker, Ei, Aroma und Gewürze hinzufügen und umrühren. Mischen Sie das Mehl mit dem Backpulver und mischen Sie es abwechselnd mit der Milch in Portionen gut in die Butter-Ei-Mischung. Gießen Sie den Teig in die Springform.

Die Äpfel schälen, entkernen und in Keile schneiden. Dann legen Sie diese in einen Ring auf den Teig und drücken Sie etwas in den Teig. Die Preiselbeeren waschen und auf den Äpfeln verteilen.

Den Kuchen ca. 50 - 55 Minuten im Ofen backen. 10 Minuten vor Ende der Backzeit etwas braunen Zucker oder Xucker Bronze auf dem Kuchen verteilen und das Backen beenden.

Verwenden Sie einfach die doppelte Menge für ein Backblech (hier reichen ca. 6 große Äpfel aus).

Variation: Verwenden Sie anstelle von Äpfeln und Preiselbeeren ca. 2,5 kg Pflaumen und nach dem Backen mit Zimt und Zucker bestreuen.

Portionen: 1

ZUTATEN

- Zitronen)
- 1 EL   Erythrit (Zuckerersatz), alternativ Xylit
- 2 EL   Olivenöl
- Etwas Salz und Pfeffer
- Möglicherweise. Kräuter nach Bedarf

VORBEREITUNG

Rollen Sie die Zitrone kräftig (dies bricht die Zellstruktur und es tritt mehr Saft aus), drücken Sie sie aus und mischen Sie sie mit den restlichen Zutaten. Verwenden Sie die Kräuter nach Bedarf, ich bevorzuge es ohne.

Passt besonders gut zu Blattsalaten.

SUPER TASTY SCHOKOLADENKUCHEN

ZUTATEN

- 250 g   Dattel (getrocknete Früchte, ungesüßt)
- 200 ml Wasser
- 6 Ei (e)
- 200 g   Gemahlene Mandeln
- 50 g   Kakaopulver, ungesüßt
- 1 Prise (n)   Salz-

VORBEREITUNG

Trenne die Eier. Die Datteln, 6 Eigelb, Wasser und Kakao in einen
Mixer geben und unterrühren

cremige Schokoladenmischung. Die 6 Eiweiße mit einer Prise Salz steif
schlagen. Gießen Sie die Schokoladenmischung in eine Rührschüssel
und falten Sie das steif geschlagene Eiweiß und die gemahlenen
Mandeln allmählich unter. Unter keinen Umständen normal umrühren,

sonst verliert das Eiweiß die eingeschlossene Luft und kollabiert - daher: vorsichtig unterheben. Persönlich arbeite ich am besten mit einem Schneebesen - das Eiweiß kann mit losen, rotierenden Bewegungen eingeklappt werden.

Eine Springform mit Butter einfetten und die Mischung hinzufügen. Backen Sie in der Mitte des Ofens auf einem Drahtregal bei 175 Grad für 25-30 Minuten.

VEGAN, GLUTENFREIES BANANENBROT

Portionen: 4

ZUTATEN

- ½ Tasse   Mandelstangen oder gehackte Mandeln
- 1 Handvoll   Mandel (en), ungeschält, ganz
- 3   Banane (n), sehr reif
- ½ Tasse   Kokosnussmehl
- 1 Tasse Kokosnussflocken
- 2 EL   Ahornsirup
- 1 Tasse Kokoswasser oder Kokosnussgetränk
- 1 EL   Flohsamenschalen
- 1 Teelöffel   Backpulver
- 1 Prise   Vanilleschote (Substantiv)
- 1 Tasse Haferflocken, gut
- 1 Teelöffel   Kokosnussöl
- 1 EL   Pflanzenöl, zB Sonnenblumenöl
- 1 Prise (n)   Salz-

VORBEREITUNG

Alle Zutaten in der Küchenmaschine mischen und hacken, bis eine cremige Masse entsteht.

Gießen Sie die Mischung in eine Brotform, die zuvor mit Backpapier ausgelegt wurde. Im Ofen bei 180 Grad 20-25 Minuten backen (leicht bräunen).

Nehmen Sie dann das Bananenbrot aus der Backform, drehen Sie es um und backen Sie weitere 30-35 Minuten ohne die Backform.

EISCREME OHNE Eismaschine

Portionen: 2

ZUTATEN

- 1 m.-groß   Banane (n), sehr reif, in kleine Stücke geschnitten
- 100 g   Aprikose (n), getrocknet
- 30 g   Dunkle Schokolade, vegan, 85% Kakaogehalt, in kleine Stücke zerbrochen
- 200 ml Cremeersatz, vegan
- 200 g   Himbeeren und Erdbeeren, gefroren

VORBEREITUNG

Banane, Aprikosen, Schokolade und Schlagsahne in eine hohe Schüssel geben und kurz mit einem Stabmixer mischen. Dann fügen Sie die Beeren oder andere gefrorene Lieblingsfrüchte hinzu und mischen, bis sie glatt und cremig sind.

Servieren Sie das Eis mit Himbeer-, Erdbeer- oder Schokoladensirup, frischem Obst und Kekskrümeln.

oder genießen Sie es pur als Shake!

FEINE KOKOSNUSSWELLER

Portionen: 1

ZUTATEN

- 50 g   Mehl
- 25 g   Kokosnussmehl
- 25 g   Puddingpulver
- 50 g   Lebensmittelstärke
- 1 Teelöffel   Backpulver
- 1 Prise (n)   Salz-
- 75 g   Kokosnussöl
- 3   Eier)
- 200 g   Joghurt
- 3 EL   Stevia oder Zucker
- 1 Punkt Vanillezucker, optional
- Kokosöl für das Waffeleisen

VORBEREITUNG

Ein Waffeleisen vorheizen (volle Einstellung).

Verarbeiten Sie nach und nach alle trockenen Zutaten in einer Schüssel mit Kokosöl, Eiern und Joghurt, um einen Waffelteig zu erhalten. Wenn Sie Stevia nicht mögen, können Sie es durch Zucker ersetzen. Wenn Sie möchten, dass die Waffeln süßer sind, können Sie auch eine Packung Vanillezucker hinzufügen.

Das Waffeleisen mit etwas Kokosöl bestreichen und den Teig zu Waffeln backen. Ich heize den Ofen immer auf 80 ° C vor, um die fertigen Waffeln warm zu halten.

Ich bekomme 6 sehr füllende Waffeln aus dem Teig. Puderzucker und / oder Obst passen gut dazu.

APFELBROT

Portionen: 1

ZUTATEN

- 1 kg   Äpfel, eher süß
- 3 EL   Chia-Samen
- 6 EL   Wasser
- 300 g   Mahlzeit mit Getreide
- 200 g   Maisstärke
- 200 g   Mandel (n), ganz
- 250 g   Rosinen
- 1 pck. Weinstein (Backpulverersatz glutenfrei)
- ½ TL   Nelkenpulver
- 1 Teelöffel Zimtpulver

VORBEREITUNG

Chiasamen und Wasser mischen und anschwellen lassen. Die Rosinen in Wasser einweichen. In der Zwischenzeit die Äpfel entkernen und reiben.

Den Backofen auf 175 ° C vorheizen.

Die Rosinen durch ein Sieb abtropfen lassen.

Alle Zutaten in eine Schüssel geben und gut mischen. Eine Laibpfanne mit Backpapier (!) Auslegen und die Mischung hineingießen.

Im heißen Ofen auf dem mittleren Rost ca. 75 Minuten backen.

Anmerkungen: Die Süße kommt nur von den Äpfeln und Rosinen - wenn Sie es süßer mögen, können Sie Datteln oder den entsprechenden Sirup oder Sirup hinzufügen.

Ich bedecke das Apfelbrot nach ungefähr 2/3 der Backzeit.

APFEL- UND KAROTTENMUFFINE

Portionen: 8

ZUTATEN

- 100 g   Apfel
- 100 g   Karotte
- 100 g   Buttermilch
- 100 g   Hirsemehl
- 40 g   Rosinen oder Preiselbeeren
- 20 g   Samen, gehackt (Kürbiskerne, Sonnenblumenkerne usw.) oder Nüsse
- 2 EL   Flocken, (Chuffas Nüssli) falls vorhanden
- ½ TL   Zimt Pulver
- n. B. B. Koriander nach Geschmack
- 1 Teelöffel Tartar Backpulver

VORBEREITUNG

Äpfel und Karotten fein reiben. Fügen Sie die Buttermilch, Nüsse und Gewürze hinzu. Dann das Mehl mit dem Backpulver hinzufügen und umrühren. Teilen Sie den Teig in 8 Muffinformen (Silikon oder eine gefettete Schale). Bei 180 Grad ca. 15-20 Minuten. Dann legen Sie die Form auf ein feuchtes Küchentuch und lassen Sie es abkühlen. Dann nehmen Sie es aus der Form.

QUARK - YOGHURT-CREME MIT AMARETTINI UND SOUR-KIRSCHEN

ZUTATEN

- 250 g Quark (40% Fett) oder fettarmer Quark
- 500 g Joghurt (1,5% Fett)
- 100 g Keks (e), (Amarettini)
- 1 Glas Sauerkirschen, entkernt (je nach Wunsch ein kleines oder großes Glas)

VORBEREITUNG

Mischen Sie den Quark mit dem Joghurt. Die Amarettini in Gefrierbeutel geben, mit einem Nudelholz zerhacken und in die Quark-Joghurt-Creme einrühren.

Das Glas Sauerkirschen abtropfen lassen. Einige der Kirschen zum Garnieren aufbewahren und den Rest unter die Quark-Joghurt-Creme heben, in Dessertschalen teilen, mit den zurückgehaltenen Kirschen garnieren und im Kühlschrank kalt stellen.

Portionen: 4

ZUTATEN

- 500 ml Milch, 1,5 oder 3,5%
- 3 EL Kakaopulver
- 50 g Xylit (Zuckerersatz) oder Erythrit
- 3 Teelöffel, stricken. Johannisbrotgummi

VORBEREITUNG

Mischen Sie 50 ml der Milch mit dem Kakao und dem
Johannisbrotkernmehl. Den Rest der Milch und den Xucker in einem
Topf erhitzen. Kurz vor dem Kochen die gemischten Zutaten in den Topf
geben und ständig umrühren, bis es kocht. Einmal zum Kochen bringen,
dann vom Herd nehmen und wie üblich mit Pudding weiterrühren.
Genießen Sie jetzt den Pudding warm oder gekühlt - ohne Reue.

Johannisbrotkernmehl kann mit Maisstärke, einem Bindemittel,
verglichen werden. Jedoch völlig kohlenhydratfrei.

BANANEN-DESSERT MIT BRITTLE

Portionen: 4

ZUTATEN

- 1 kg   Banane (n), reif
- ½ TL   Kardamom, gemahlen
- ½ TL   Vanille, gemahlen
- 1 Teelöffel   Zitronensaft
- 250 ml Sahne
- 3 EL   Ahornsirup
- 50 g   Gehackte Mandeln

VORBEREITUNG

Die reifen Bananen (je reifer desto besser) in einem Mixer mit Vanille, Kardamom und Zitronensaft pürieren - bei Bedarf nach Geschmack süßen, bei wirklich reifen Bananen ist dies jedoch normalerweise nicht erforderlich. Gießen Sie die Bananenmischung in Schalen. Die Sahne steif schlagen und 2 Esslöffel Ahornsirup hinzufügen. Setzen Sie die Bananencreme auf.

Die gehackten Mandeln in einer trockenen Pfanne rösten, bis sie gleichmäßig gebräunt sind. Ständig rühren. Zum Schluss den restlichen Ahornsirup dazugeben und bei mittlerer Hitze noch einige Minuten rühren. Dann abkühlen lassen, während die restliche Feuchtigkeit abtrocknet. Nach dem Abkühlen kann alles leicht zu spröden Körnern zerfallen. Streuen Sie diese kurz vor dem Servieren über die Sahne.

QUARK DER GÖTTER

Portionen: 6

ZUTATEN

- 1 pck.   Gelee, jeder Geschmack
- Süßstoff nach Geschmack
- 500 g   Quark, Standard oder Lean

VORBEREITUNG

Bereiten Sie das Gelee wie auf der Packung beschrieben vor. Mischen Sie den Quark gut mit dem noch warmen und flüssigen Gelee in einer Schüssel und teilen Sie ihn in kleinere Dessertgläser oder -schalen, wenn Sie möchten, oder kühlen Sie ihn mindestens 5 Stunden lang in der großen Schüssel.

Das Dessert kann fast fett- und zuckerfrei zubereitet werden, wenn Sie die magere Stufe für Quark wählen und den Zucker durch Süßstoff ersetzen. (100 g ~ 1 Teelöffel flüssiger Süßstoff).

Verschiedene Geschmacksrichtungen können verwendet werden, um farbenfrohe Schichtdesserts zu kreieren.

THAI VEGETABLE STIR FRY MIT TOFU

Portionen: 4

ZUTATEN

- 1 EL   Kokosöl, kaltgepresst, heimisch
- ½ Tasse / n Paprika, fein gewürfelt
- ½ Tasse / n Karotte (n), gerieben
- ½ Tasse / n Frühlingszwiebel (n), gehackt, nur der grüne Teil
- ½ Tasse / n Kokosmilch oder 1 Esslöffel Bio-Kokosnuss gemischt mit 250 ml Wasser in einem Mixer
- 2 Teelöffel   Curry Paste, grün
- 1 Teelöffel   Kurkumapulver
- 1 EL   Sojasauce, glutenfrei
- 500 g   Tofu, gespült, abgetropft und zerbröckelt
- 2 Tasse / n   Spinat, frischer, gehackter oder 1 Tasse gefrorener Spinat, gut gezupft und getupft

VORBEREITUNG

Das Kokosöl, den Paprikawürfel, die Karotten und die Frühlingszwiebeln in eine große Pfanne geben und bei mittlerer Hitze ca. 3 Minuten anbraten. Fügen Sie die Kokosmilch, Curry-Paste, Kurkumapulver und Sojasauce hinzu und rühren Sie, bis sich die Curry-Paste aufgelöst hat und alles gut vermischt ist. Gießen Sie den Tofu hinein und lassen Sie alles ca. 8 Minuten köcheln. Dann den Spinat dazugeben und weitere 2 Minuten köcheln lassen.

LOW CALORIE CHOCOLATE SAUCE

Portionen: 1

ZUTATEN

- 10 g   Kakao zum Backen
- 1 Prise (n)   Salz-
- Flüssiger Süßstoff
- Etwas Wasser, lauwarm

VORBEREITUNG

Mischen Sie den Kakao mit einer Prise Salz und etwas Süßstoff. Dann nach und nach etwas lauwarmes Wasser hinzufügen und mit einem Teelöffel umrühren.

Wiederholen Sie den Vorgang, bis die Sauce die gewünschte Konsistenz hat. Die Prise Salz sorgt dafür, dass der Kakao nicht mehr so bitter schmeckt.

Wenn die Sauce nicht direkt verzehrt wird, muss sie kurz vorher erneut gerührt werden.

VEGAN REISPUDDING

Portionen: 1

ZUTATEN

- 100 ml Reispudding
- 400 ml Reisgetränk oder Reismilch, ungesüßt
- 1 kleiner   Tortenapfel oder 1/2 großer Apfel (zB Topas)
- Möglicherweise.   Zimt Pulver

VORBEREITUNG

Ich messe den Reis immer mit einem Messbecher, daher wird die Menge
in ml angegeben. Wenn Sie kurzkörnigen Reis verwenden, sind 100 ml
fast genau 100 g. Ich finde es jedoch sehr praktisch, Reis und Milch in
einer Tasse zu messen.

Den Reis in einen Topf geben (1 Liter ist ausreichend), die Milch
hinzufügen. Den Apfel schälen und entkernen, in kleine Stücke

schneiden und zum Reis und zur Reismilch geben. Zum Kochen bringen, etwas umrühren.

Drehen Sie die Hitze ein wenig zurück, auf etwas weniger als die Hälfte (für mich Stufe 4 von 9). Lassen Sie den Milchreis unbedeckt ca. 20-25 Minuten leicht köcheln.

CHIA Mandelpudding mit Himbeeren

ZUTATEN

- 2 EL, gehäuft   Chia-Samen
- 200 ml Mandelmilch (Mandelgetränk), gesüßt
- 125 g   Himbeeren
- 1 Teelöffel   Xylitol (Zuckerersatz), nB

VORBEREITUNG

Rühren Sie die Chiasamen in die Mandelmilch. 20 - 30 Minuten einwirken lassen und dazwischen einmal umrühren. Fügen Sie den Xucker und die Himbeeren hinzu und pürieren Sie sie mit dem Zauberstab.

RASPBERRY CHERRY YOGURT KUCHEN

ZUTATEN

Für die Biskuitbasis:

- 2 Eigelb
- 2 Protein
- 2 EL Wasser, lauwarm
- 90 g Maisstärke oder Mehlmischung Kuchen & Kekse von Schär
- 1 Teelöffel Backpulver
- n. B. Agavensirup

Für die Füllung:

- 300 ml Kirschsaft oder Himbeersaft
- 1 pck. Puddingpulver
- 1 Glas Sauerkirschen (720 ml), ungesüßt, zB B. mit Süßstoff gesüßt
- 200 g Himbeeren, gefroren oder frisch

- n. B. B. Agavendicksaft

Zum Abdecken:

- 1 Tasse Sojajoghurt (Joghurtalternative) mit Kokosnuss, ca. 500 g
- 2 pck. Sofortgelatine, Pulver
- 4 EL Kokosraspeln
- n. B. B. Agavendicksaft

VORBEREITUNG

Biskuitkuchen: Trennen Sie die

Eier und schlagen Sie das Eiweiß steif. Das Eigelb mit Wasser und Agavensirup schlagen, je nach Bedarf dosieren, bis eine dicke Creme entsteht. Gießen Sie das geschlagene Eiweiß auf die Eigelbmischung und falten Sie es vorsichtig unter. Dann die Maisstärke-Mehl-Mischung zusammen mit dem Backpulver sieben und vorsichtig unterheben. Bei Bedarf etwas natürlicheres Zitronenaroma hinzufügen.

Den Teig in eine gefettete Springform geben und glatt streichen. In einem auf 175 ° C (obere / untere Hitze) oder 160 ° (heiße Luft) vorgeheizten Ofen ca. 20 Minuten backen.

Füllung:

Die Kirschen abtropfen lassen und den Saft sammeln. 300 ml abmessen und das Puddingpulver mit 3 EL Saft mischen. Den restlichen Saft zusammen mit Agavensirup zum Kochen bringen. Fügen Sie das gemischte Puddingpulver hinzu und bringen Sie es kurz wieder zum Kochen. Den Pudding in eine Schüssel geben und die Kirschen und Himbeeren unterheben (gefrorene Himbeeren nicht auftauen).

Lassen Sie den Pudding etwas abkühlen und legen Sie ihn auf den abgekühlten Biskuitboden.

Abdeckung:

Den Sojajoghurt in eine Rührschüssel geben und mit dem Gelatinepulver und der geriebenen Kokosnuss mischen. Wenn Sie möchten, können Sie etwas Agavensirup hinzufügen. Die Mischung über die Kirschen verteilen und glatt streichen.

Legen Sie den Kuchen mindestens 4 Stunden lang in den Kühlschrank, damit sich Pudding und Joghurt setzen können.

SCHOKOLADE BANANENPORRIDGE

ZUTATEN

- 60 g   Haferflocken, herzhaft
- 200 ml Mandelmilch (Mandelgetränk) oder Kokosmilch, ungesüßt
- 50 ml   Wasser
- n. B. B. Kokosnussflocken
- Banane (Substantiv)
- 1 EL   Kakaopulver

VORBEREITUNG

Haferflocken, Milch und Wasser in einem kleinen Topf zum Kochen bringen. Wenn Sie Kokosflocken verwenden möchten - diese verleihen ihnen eine besondere Konsistenz und einen hervorragenden Geschmack - , sollten sie mit etwa 50 ml Wasser versetzt werden. Die Konsistenz des Breis sollte cremig sein, das Haferflocken sollte noch etwas Biss haben. Dies dauert ungefähr fünf Minuten.

In der Zwischenzeit die Banane mit einer Gabel zerdrücken. Wenn der Brei fertig ist, fügen Sie die Banane hinzu und rühren Sie um, bis die Banane und der Brei perfekt vermischt sind und die Banane heiß ist.

Zum Schluss das Kakaopulver untermischen, die Pfanne vom Herd nehmen und den Schokoladen- und Bananenbrei servieren.

RHUBARB PINEAPPLE COMPOTE

Portionen: 10

ZUTATEN

- 500 g   Rhabarber, in kleine Stücke geschnitten
- 500 g   Ananas, kleine Streifen
- 300 g   Rosinen
- 500 ml Apfelsaft
- 750 ml Wasser
- 60 g   Puddingpulver, Vanille
- n. B. B. Zimt
- n. B. B. Honig oder Agavensirup
- n. B. B. Ingwer

VORBEREITUNG

Die Rosinen in Apfelsaft ca. 10 Minuten kochen, Rhabarber, Zimt und
Ananas dazugeben, kurz zum Kochen bringen, mit Wasser verdünnen.
Mischen Sie das Puddingpulver mit etwas Wasser und rühren Sie es in
die kochende Fruchtmischung. Mit Agavensirup abschmecken.

Heiß in Schalen füllen. Schmeckt hervorragend zu Milch, Sahne oder Vanillesauce.

MOUSSE AU SCHOKOLADE

Portionen: 6

ZUTATEN

- 4 Eier)
- 100 g Süßstoff (Xylit)
- 60 g Kokosöl
- 70 g Kakaopulver
- 300 ml Sahne (Sojacreme), schlagbar

VORBEREITUNG

Trenne die Eier. Das Eigelb schaumig schlagen. Das Fett bei schwacher Flamme schmelzen. Mischen Sie das geschmolzene Fett, Xylit und Kakaopulver mit dem Eigelb.

Das Eiweiß schlagen und das Eiweiß allmählich unter die Kakaomasse heben. Zum Schluss die Sojacreme steif schlagen und ebenfalls in die Mischung einrühren.

Die Mousse einige Stunden kalt stellen, damit sie fest wird. Frische Erdbeeren schmecken auch gut.

Apfelkuchen mit Honig

Portionen: 1

ZUTATEN

- 225 g   Mehl, Vollkorn
- 1 Prise (n)   Salz-
- 2 Teelöffel   Backpulver
- 3 TL   Zimt Pulver
- 50 g   Butter
- 50 g   Öl
- 75 g   Honig
- 350 g   Äpfel, geschält, entkernt, in kleine Stücke geschnitten
- Eier (verquirlt
- Fett für die Form

VORBEREITUNG

Mehl, Salz, Zimt und Backpulver in einer großen Schüssel gut mischen.
Fügen Sie die Butter und das Öl hinzu und mischen Sie alles mit einem
Löffel.

Dann den Honig in mehreren Teilen in den Teig rühren. So kann die Süße besser verteilt werden. Nun die gehackten Äpfel unterrühren und das Ei über die Mischung gießen. Seien Sie nicht beunruhigt, der Teig ist wirklich sehr feucht und klebrig.

Legen Sie nun den Teig in eine gefettete Laibpfanne oder eine Springform der Größe 20. Im vorgeheizten Backofen ca. 45 Minuten bei 170 ° C (obere / untere Hitze).

Seien Sie vorsichtig, der Kuchen ist im warmen Zustand immer noch sehr weich und bricht schnell. Es schmeckt schon am zweiten Tag köstlich und kann am Vortag gebacken werden.

LOW CARB COCONUT CHOCOLATE

Portionen: 4

ZUTATEN

- 200 g   Kokosnussöl
- 200 g   Xylitol (Zuckerersatz)
- 150 g   Kakaopulver
- 50 g   Kokosnussflocken
- n. B. B. Möglicherweise Mandel (n)

VORBEREITUNG

Das Kokosöl im Topf bei schwacher Hitze schmelzen. Es sollte nicht über 50 ° C erhitzt werden. Wenn Sie das richtige Küchengerät haben, können Sie das Xylit pulverisieren, bevor Sie es dem Kokosöl hinzufügen.

Dann fügen Sie den Kakao hinzu. Rühren Sie nun mindestens 20 Minuten lang ständig um und stellen Sie sicher, dass die Hitze nicht über 50 ° C steigt. Je länger Sie rühren, desto cremiger wird die Schokolade. Dann die Kokosflocken unterheben.

Am besten legen Sie eine Brotform mit Frischhaltefolie aus und gießen die Schokolade hinein. In den Kühlschrank stellen und mindestens 2 Stunden kalt stellen.

Bewahren Sie die Schokolade am besten im Kühlschrank auf, da sie schneller schmilzt. als andere Schokolade.

Anstelle von Kokosflocken schmeckt die Schokolade auch sehr gut mit Nüssen, Rosinen usw.

Es gibt auch Kokosöl, das nicht nach Kokos schmeckt! Damit sollte es auch funktionieren.

Ich habe diese Schokolade mit meinem Thermomix gemacht. Ich denke, es wird auch "normal" funktionieren. Alles was benötigt wird ist ein starker Arm, der alles mit dem Schneebesen von Anfang bis Ende rührt.

GLUTENFREIE APFELKUCHEN OHNE MEHLMISCHUNG

Portionen: 1

ZUTATEN

- 4 Äpfel, je nach Größe
- 50 g   Mandel (Substantiv)
- 50 g   Mehl (Wegerichmehl), alternativ Maisstärke
- 50 g   Kastanienmehl
- 70 g   Xylitol (Zuckerersatz)
- 3   Ei (e), je nach Größe
- 100 g   Geklärte Butter oder Butter
- 2 Teelöffel   Backpulver
- Zimt Pulver

VORBEREITUNG

Die Äpfel schälen und in Keile schneiden.

Den Backofen auf 175 ° C vorheizen.

Die Mandeln fein reiben und mit Wegerichmehl, Kastanienmehl, Xucker und Backpulver mischen. Mit geklärter Butter und Eiern umrühren, bis ein cremiger Teig entsteht. Eine Springform mit Butter bestreichen und den Teig darin verteilen. Die Apfelschnitze darauf verteilen und mit Zimt bestreuen.

In den vorgeheizten Ofen auf dem mittleren Rost legen und 40 Minuten backen. Wenn nötig, reduzieren Sie die Temperatur nach einer halben Stunde auf 160 ° C, wenn der Kuchen zu dunkel wird. Machen Sie einen Essstäbchentest.

Dieses Rezept soll zeigen, dass Sie einfach Kuchen ohne die teuren glutenfreien Mehlmischungen backen können. Mandeln finden Sie in jedem Geschäft. Kastanienmehl im Reformhaus. Sie können Wegerichmehl im Internet bestellen, ich bevorzuge es als Stärke zu verwenden, aber es funktioniert auch. Aufgrund der Süße des Kastanienmehls kommt das Rezept mit wenig zusätzlicher Süße zurecht. Ich bevorzuge Xucker, weil es die gleichen Eigenschaften wie Zucker hat. Sie können natürlich mit jeder anderen Süße backen oder Zucker verwenden, wenn Sie möchten.

TODDLER COOKIES

Portionen: 1

ZUTATEN

- 100 g   Mandel (n), gemahlen
- 100 g   Haferflocken, zart
- 8 ..   Datteln (entkernt
- 1 groß   Banane (n), reif

VORBEREITUNG

Gießen Sie zuerst kochendes Wasser über die Datteln und lassen Sie sie
ca. 10 Minuten einweichen. Dann die Datteln in einem Mixer ohne
Wasser fein pürieren. Wenn die Datteln zerhackt sind, fügen Sie die
Banane hinzu und zerdrücken Sie sie mit. Mischen Sie die Mandeln mit
dem größten Teil des Haferflocken und fügen Sie die Banane und das
Dattelpüree hinzu. Mit einem Löffel mischen und nach und nach das
restliche Haferflockenmehl hinzufügen. Abhängig von der Größe der
Banane benötigen Sie möglicherweise nicht die volle Menge

Haferflocken. Das Ergebnis sollte eine weiche, aber nicht übermäßig klebrige Masse sein.

Den Backofen auf 180 ° C Heißluft vorheizen.

Ein Backblech mit Pergamentpapier auslegen. Die Mischung zu Kugeln formen. 2,5 cm Durchmesser und drücken Sie sie flach auf das Backblech. Die Größe der Kekse kann natürlich individuell variiert werden.

Im vorgeheizten Backofen ca. 15 Minuten je nach gewünschter Bräune.

Die Menge reicht für ein Backblech. Wir mögen die Kekse am liebsten frisch, wenn sie noch knusprig sind. In einer Keksdose halten sie sich ein paar Tage frisch, sie werden nur etwas weicher.

Portionen: 4

ZUTATEN

- 2 m.-groß   Äpfel
- 1 Tasse Süßkirschen, ca. 150 g, frisch oder Kompott ohne Zucker oder gefroren
- 250 g   Magerquark
- 200 g   Schlagsahne
- 1 Scheibe / n Pumpernickel, ca. 40 g
- 1 Handvoll Nüsse
- 1 EL   Butter
- 2 Teelöffel   Honig
- Etwas Vanille
- Etwas Zimtpulver

VORBEREITUNG

Die Nüsse hacken und in einer Pfanne ohne Fett rösten. Pumpernickel zerbröckeln und in Butter in einer Pfanne ca. 5 Minuten bis knusprig. Die Nüsse hinzufügen und abkühlen lassen.

Die Äpfel in der Pfanne mit einem Löffel Honig karamellisieren. Die Kirschen dazugeben und zu einem Kompott köcheln lassen.

Die Schlagsahne unter den Quark heben. Den Sahnequark mit Vanille und das Kompott mit Zimt würzen.

Nun den Quark in ein Glas schichten und mit Kompott, Nüssen und Honig garnieren.

Tipps: Hier können Sie Ihrer Fantasie wieder freien Lauf lassen. Die Äpfel gehen im Winter gut. Im Sommer können Sie Beeren, Kirschen, Pfirsiche und vieles mehr verwenden.

Mandeln passen auch gut zu den Pumpernickel-Streuseln.

Wenn Sie dieses Dessert auf ein Buffet stellen möchten, verwenden Sie einfach kleinere Gläser und mehrere Gäste können einen Snack zu sich nehmen.

VEGAN STUFFED PEPPERS

Portionen: 2

ZUTATEN

- 4 Paprika
- 250 g   Pilze, frisch
- 2   Zwiebel (Substantiv)
- 1 Dose Mais
- 3 EL   Olivenöl
- 1 Zehe / n   Knoblauch
- 300 g   Kräuteraufstrich, vegan
- 100 g   Käseersatz, vegan, gerieben
- 2 Teelöffel   Gemüsebrühe, sofort
- n. B. B. Paprikapulver, edel süß
- n. B. B. Curry

VORBEREITUNG

Paprika waschen, halbieren und entkernen. Die Pilze waschen, reinigen und in Scheiben schneiden. Zwiebeln würfeln. Drücken Sie den Knoblauch. Den Mais abtropfen lassen.

Die Paprika auf einem Backblech mit Backpapier mit den Innenseiten 10 Minuten in einem heißen Ofen bei 180 ° C von oben / unten vorheizen. Gießen Sie dann die austretende Flüssigkeit ab.

In der Zwischenzeit die Zwiebeln mit dem Knoblauch in Olivenöl durchscheinend braten (ca. 5 Minuten). Dann fügen Sie die Pilze hinzu und braten sie, bis sie schön weich sind. Fügen Sie den Mais und die granulierte Brühe, das Curry und das Paprikapulver hinzu. Alles vermischen und erhitzen. Zum Schluss den veganen Aufstrich dazugeben. Alles gut mischen und kurz zum Kochen bringen.

Füllen Sie nun die Paprika mit dieser Mischung. Dann den vegan geriebenen Käse darüber streuen und für 20 Minuten wieder in den heißen Ofen stellen.

MINI APPLE ROLLS

Portionen: 1

ZUTATEN

- 400 g   Dinkelmehl Typ 1050
- 1 pck. Trockenhefe
- 200 ml Apfelsaft, nicht aus Konzentrat
- 2   Äpfel
- 100 g   Magerquark
- 50 ml   Rapsöl
- ½ TL   Salz-

VORBEREITUNG

Mehl und Hefe mischen. Den Saft lauwarm erwärmen und mit der Mehl-Hefe-Mischung zu einem glatten Teig kneten und 30 Minuten abdecken.

Die Äpfel waschen und vierteln, den Kern entfernen und die Früchte reiben.

Quark, Öl, Salz und geriebenen Apfel mischen und in den Hefeteig kneten. Lassen Sie den Teig noch eine Stunde gehen.

Den Backofen auf 200 ° oben / unten vorheizen.

Den Teig wieder gut kneten. Fügen Sie bei Bedarf mehr Mehl hinzu, bis der Teig nicht mehr klebt. 20 kleine Brötchen formen und auf ein mit Backpapier ausgelegtes Backblech legen. Backen Sie die Brötchen auf dem unteren Rost etwa 18 Minuten lang.

GESUNDE SCHMUCKKOCHSEN MIT NIEDRIGEM KARBSTOFF

Portionen: 1

ZUTATEN

- 60 g   Mandelmehl, entölt
- 40 g   Ganze Mahlzeit Dinkelmehl
- 30 g   Kakaopulver
- 2 groß Eier)
- 30 g   Butter - Ersatz, leicht zu verteilen und fettarm
- 120 g Süßstoff (Erythrit oder 90 g Stevia)
- 1 Teelöffel Backpulver
- ½ Brett Dunkle Schokolade, 75% Kakaogehalt
- ½ TL   Zimt
- 1 Prise (n)   Muskatnuss
- 1 Teelöffel   Weizenkleie
- 1 Teelöffel   Chia-Samen

VORBEREITUNG

Mischen Sie die Butter und Erythrit zu einer weichen Masse. Eier hinzufügen und weiterrühren. Mehl und Backpulver hinzufügen und umrühren. Mischen Sie den Kakao mit etwas heißem Wasser, bis er dick ist, und geben Sie ihn in den Teig (der Teig sollte nicht zu flüssig werden). Fügen Sie Zimt (nach Geschmack, ich nehme sogar einen ganzen Teelöffel), Muskatnuss, möglicherweise kleine Weizenstücke und möglicherweise Chiasamengel hinzu. Dunkle Schokolade (wenn Sie es wirklich schokoladig mögen, können Sie die ganze Tafel verwenden) fein hacken und zum Teig geben, erneut umrühren.

Legen Sie einen Teelöffel des Teigs auf ein mit Pergament ausgekleidetes Backblech. Ich machte sehr kleine Haufen (Vorsicht, nicht zu nahe beieinander) und bekam 60 Kekse.

Backen (nicht vorgewärmt): Ober- / Unterhitze 175 ° C, 10 - 15 min, Konvektion 160 ° C, 10 - 15 min.

Die Kekse sind nach dem Backen noch relativ weich, härten aber beim Abkühlen schnell aus. Sie haben einen sehr nussigen Geschmack. Wenn Sie es sehr süß mögen, sollten Sie vielleicht mehr Schokolade oder mehr Zucker verwenden. Die Kekse passen sehr gut zu einem gemütlichen Kaffee mit Freunden, die ebenfalls auf ihre Figur achten, aber trotzdem ein wenig schlemmen wollen!

LOW-CARB COCONUT BALLS

Portionen: 1

ZUTATEN

- 150 ml   Kokosmilch
- 100 g   Mandel (Substantiv)
- 100 g   Kokosraspeln
- 2 EL   Xylitol (Zuckerersatz)
- 50 g   Eiweißpulver mit Vanillegeschmack
- 25   Mandel (n), blanchiert
- 3 EL   Kokosraspeln

VORBEREITUNG

Mischen Sie die Kokosmilch mit den Mandeln, der ausgetrockneten Kokosnuss, dem Eiweißpulver und der gewünschten Süße. Dann mindestens eine Stunde oder länger im Kühlschrank kalt stellen.

Mit den blanchierten Mandeln und der gekühlten Masse kleine Kugeln formen und in die ausgetrocknete Kokosnuss rollen. Wenn noch etwas

Kokosmilch übrig ist, können Sie die Kugeln vorher mit der Milch anfeuchten, dann bleibt die Raspel besser haften.

Vor dem Servieren wieder abkühlen lassen.

VEGAN NUT PANCAKES

Portionen: 1

ZUTATEN

- 1 EL   Walnüsse, gemahlen
- 1 pck. Backpulver
- ½ TL   Zimt Pulver
- 5 EL   Apfelessig
- 150 g   Mehl
- 2 EL   Xylitol (Zuckerersatz)
- 250 ml Mandelgetränk
- Öl zum braten

VORBEREITUNG

Mischen Sie alle Zutaten zusammen, bis Sie einen einheitlichen, flüssigen Teig haben.   vorheizen eine Pfanne und etwas Öl zum Braten bereithalten. Sobald die Pfanne heiß ist, backen Sie die Pfannkuchen allmählich auf die gewünschte Größe, bis sie goldbraun sind.

Dienen

mit Nussbutter und Bananen.

LOW-CARB WHITE CHOCOLATE CHIP COOKIES

Portionen: 1

ZUTATEN

- 50 g Butter, weich
- 60 g Xylitol (Zuckerersatz)
- 40 g Mandelmehl
- 2 Eigelb
- 1 Prise Xylit (Zuckerersatz) (Vanillexylit)
- 40 g Schokoladenlinse (n), weiß, zuckerfrei

VORBEREITUNG

Den Backofen auf 160 ° C vorheizen. Mischen Sie alle flüssigen Zutaten in einer Schüssel. Fügen Sie die restlichen Zutaten hinzu und rühren Sie, bis alles gut vermischt ist. 2/3 der Schokoladenlinsen einrühren.

Ein Backblech mit Pergamentpapier auslegen. Den Teig in 6 gleiche Portionen teilen und kleine Kugeln formen. Legen Sie diese auf das Backblech und drücken Sie es flach. Den Rest der Schokolade auf den

Keksen verteilen. Backen Sie die Kekse 12 Minuten lang bei 160 ° C Heißluftofen.

Lassen Sie die Kekse abkühlen, sonst brechen sie.

GESALZTE SCHOKOLADENKOCHEN AUS NIERBOHNEN

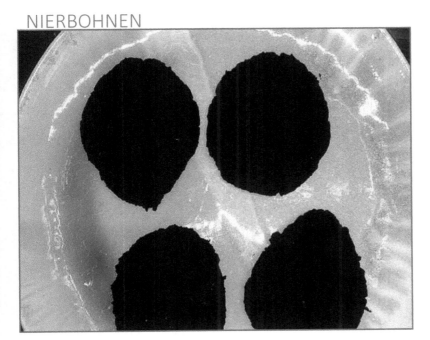

Portionen: 1

ZUTATEN

- 1 Dose Kidneybohnen, ca. 400 g
- 100 g   Erythrit (Zuckerersatz)
- 1 EL   Kokosnussöl
- 1 Teelöffel   Salz-
- 1 TL, geebnet   Backpulver
- 30 g   Kakaopulver
- 100 g   Schokolade, zuckerfrei (kein Muss)

VORBEREITUNG

Die Bohnen abtropfen lassen und in eine Schüssel geben. Mit dem Mixer fein hacken. Fügen Sie alle anderen Zutaten hinzu. Stellen Sie sicher, dass das Öl nicht zu klumpig ist.

Legen Sie kleine Kugeln (Teelöffelgröße) auf ein Backblech und drücken Sie sie flach. Bei 200 ° C oben / unten im vorgeheizten Backofen ca. 10 Minuten.

REISPUDDINGKUCHEN

Portionen: 1

ZUTATEN

- 250 g   Vollkornmehl
- 250 g   Haferflocken, zart
- 1 pck. Backpulver
- 2   Eier)
- 200 g   Apfelmus, zuckerfrei
- 1 Liter Milch
- 50 g   Datum (e), getrocknet
- 250 g   Reispudding
- 250 g   Magerquark
- Banane (Substantiv)
- n. B. B. Zimt
- 4 Blatt Gelatine
- Etwas Wasser

VORBEREITUNG

Mehl, Eier, Backpulver und Apfelmus mischen und in eine gefettete Springform geben, die bei Bedarf mit Backpapier ausgelegt ist. Die Menge reicht für den Boden und die Kante.

Bei 180 ° C ca. 15 Minuten backen und abkühlen lassen.

Dann den Boden mit einer Gabel einstechen und gegebenenfalls einen Esslöffel Honig darüber verteilen.

Füllung:

Legen Sie die Milch mit Datteln in einen Topf und pürieren Sie die Datteln mit einem Zauberstab.

Dann zum Kochen bringen und den Milchreis wie gewohnt zubereiten. Wenn der Milchreis fertig ist, lassen Sie ihn etwas abkühlen, damit er nur warm statt heiß ist. Zimt, Bananenpüree und Quark einrühren.

Die Gelatine gemäß den Anweisungen auf der Packung einweichen, ausdrücken, erhitzen und in den lauwarmen Milchreis geben. Gut mischen und in die Springform gießen.

Am besten über Nacht im Kühlschrank ruhen lassen und mit Belag servieren.

GESUNDE SCHOKOLADENMUSEL

Portionen: 1

ZUTATEN

- 200 g   Dunkle Schokolade, mindestens 80% Kakao, idealerweise zuckerfrei
- 200 g   Magerquark
- 2 Eigelb
- 400 ml Kokosmilch, ungesüßt
- 1 Teelöffel Orangenschale oder Zitronenschale
- Möglicherweise. Obst, zB Erdbeeren, Banane
- Möglicherweise. Mandel (Substantiv)
- Möglicherweise. Agavensirup oder Reissirup zum Süßen
- 1 Schuss   Milch, fettarm

VORBEREITUNG

Mischen Sie die Kokosmilch mit dem Eigelb und erhitzen Sie sie, bis eine cremige Mischung entsteht. Dann schneiden Sie die Schokolade in kleine Stücke und fügen der Mischung die Orangen- oder Zitronenschale hinzu. Alles gut vermischen.

Wenn die Schokolade geschmolzen ist, können bei Bedarf Agavensirup oder Reissirup und Milch hinzugefügt werden. Andernfalls nehmen Sie die Mischung vom Herd und rühren Sie den Quark unten um.

Lassen Sie die Creme mindestens 1 Stunde im Kühlschrank abkühlen.

LAMBS LETTUCE MIT SCHNITZELSTREIFEN IN EINER MANDEL- UND AMARANTH-BROT

- 180 g   Schweineschnitzel
- 2 Handvoll Amaranth, aufgeblasen
- 1 Handvoll Mandelscheiben oder gemahlene Mandeln
- 50 g   Feldsalat
- ½ Gurke
- 2 Tomaten)
- 2 EL   Walnussöl oder Sesamöl
- 4 EL   Naturjoghurt
- 1 EL   Olivenöl
- 1 Teelöffel Dijon-Senf, zuckerfrei
- 3 EL   Buchweizenmehl
- 1 groß   Eier)
- Salz und Pfeffer

VORBEREITUNG

Das Schweineschnitzel schlagen und mit Salz und Pfeffer würzen. Den Lammsalat waschen und auf einen Teller legen. Gurke und Tomaten waschen, in Stücke schneiden und zum Salat geben.

Ziehen Sie das Fleisch nacheinander durch die Panierlinie oder Buchweizenmehl, Ei, Mandel-Amaranth-Mischung und braten Sie es in einer Pfanne mit erhitztem Öl auf beiden Seiten goldbraun an.

In der Zwischenzeit Joghurt, Senf und Olivenöl für das Dressing mischen und mit Salz und Pfeffer würzen. Das gebratene Schnitzel in Streifen schneiden, zum Salat geben und das Dressing darüber träufeln.

DATUM BERRY

Portionen: 1

ZUTATEN

- 300 g   Feige (n), getrocknet
- 125 g   Datum (e), fein gehackt
- 30 g   Pistazien, gehackt
- 40 g   Cashewnüsse, gehackt
- 40 g Mandel (n), gehackt
- 4 Kardamomkapseln, grün, gemahlen
- 1 Teelöffel   Pflanzenöl oder Pflanzenfett, neutral

VORBEREITUNG

Eine quadratische Form mit Pergamentpapier auslegen und das Pergamentpapier mit etwas geschmacklosem Pflanzenöl bestreichen, damit die Dattelbeere nicht klebt.

Die Feigen 5-6 Minuten in einem Topf mit heißem Wasser einweichen und sicherstellen, dass die Feigen vollständig in heißes Wasser getaucht sind. Nun die Feigen mit einem Mixer oder einer Küchenmaschine pürieren.

Geben Sie etwas geschmackloses Pflanzenöl oder Pflanzenfett in eine Pfanne und erhitzen Sie es bei mittlerer Hitze. Dann die pürierten Feigen dazugeben und bei schwacher Hitze ca. 4-5 Minuten unter ständigem Rühren kochen lassen. Etwas abkühlen lassen, dann Datteln, Pistazien, Mandeln und Cashewnüsse hinzufügen. Zum Schluss die gemahlenen Kardamomkapseln hinzufügen und alles gut mit einem Löffel oder mit den Händen mischen.

Gießen Sie den Teig in die quadratische Form und drücken Sie die Oberfläche mit einem Holzlöffel glatt. Stellen Sie die Form für ca. 30 Minuten in den Kühlschrank. Danach schneiden Sie die Dattelbeere in Quadrate, Diamanten oder Rechtecke.

FAZIT

Es gibt verschiedene Ansätze für eine zuckerfreie Ernährung: Während einige insbesondere Industriezucker meiden, lassen andere alle Arten von Zucker weg. Für einige sind getrocknete Früchte erlaubt, andere sind strenger, denn getrocknete Früchte enthalten natürlich viel Zucker. Grundsätzlich kann jeder selbst entscheiden, wo die Grenzen einer Zuckerdiät festgelegt werden sollen.

"Zuckerfrei leben" bedeutet für uns in erster Linie, auf traditionellen Haushaltszucker zu verzichten und alle Lebensmittel mit freiem oder zugesetztem Zucker zu meiden. Darüber hinaus ist es bei einer zuckerfreien Ernährung wichtig, so viel wie möglich mit frischen und unverarbeiteten Lebensmitteln zu kochen. Beim Einkaufen sollten Sie Ihre Lebensmittel bewusst auswählen.

Viele Lebensmittel enthalten natürlich auch Zucker. In Früchten in Form von Fruchtzucker (Fruktose). In Milch in Form von Milchzucker (Laktose). Dementsprechend ist es fast unmöglich, sich vollständig zuckerfrei zu ernähren. Mit Hilfe der richtigen Lebensmittelauswahl und ein paar einfachen Tipps können Sie jedoch dem steigenden Zuckerkonsum im Alltag entgegenwirken.

Tipps für einen zuckerfreien Alltag

Möchten Sie sofort mit der "zuckerfreien" Herausforderung beginnen? Schließlich haben wir einige Tipps für Sie zusammengestellt, damit Sie Ihr zuckerfreies Leben beginnen können.

Lebe zuckerfrei - mit diesen 11 Tipps funktioniert es:

Zucker langsam entwöhnen - je mehr Zucker wir konsumieren, desto weniger empfindlich wird unser Geschmack im Laufe der Zeit dafür sein. Wir können diese Gewohnheit nutzen, weil sie auch umgekehrt funktioniert: Wenn wir zum Beispiel die Zuckermenge im Kaffee allmählich reduzieren, passt sich die Wahrnehmung nach einigen Wochen wieder an und wir kommen mit deutlich weniger Süße aus .

Ersetzen Sie den Haushaltszucker Stück für Stück - am besten setzen Sie sich am Anfang kleine Ziele, an die Sie sich halten können. Im ersten Schritt können Sie beispielsweise den Haushaltszucker durch Kokosblütenzucker ersetzen. Und wenn es um das Backen geht, gilt

Folgendes: Experimentieren Sie mit weniger Zucker, insbesondere wenn es um Obst geht. Weil sie natürlich viel Süße mitbringen.

Vermeiden Sie versteckten Zucker - verarbeitete Lebensmittel aus dem Supermarkt wie Saucen, Dressings oder Fertiggerichte enthalten oft viel Zucker. Do it yourself ist die bessere Alternative, um Zucker zu sparen.

Iss dich richtig satt - Oft greifst du nach etwas Süßem, weil du immer noch hungrig bist. Um dies zu verhindern, sollten Sie sich mit dem Hauptgericht richtig satt essen. Essen Sie vor allem viel Eiweiß aus Fisch, Fleisch, natürlichen Milchprodukten, Eiern und Soja sowie viel langsame Kohlenhydrate aus Vollkornprodukten, Hülsenfrüchten und Gemüse. Finden Sie hier heraus, was die besten proteinreichen Lebensmittel sind.

Kaufen Sie nichts Süßes - Sie können nicht essen, was Sie nicht zu Hause haben. Diese Spitze ist Gold wert und beugt Heißhungerattacken vor.

Alternative, zuckerfreie Snacks finden - Wenn Sie insgesamt weniger Kohlenhydrate essen, nimmt Ihr Wunsch nach Zwischenmahlzeiten mit der Zeit ab. Und wenn es ein Snack sein sollte, ist es besser, Nüsse, Oliven oder ein Stück dunkle Schokolade zu verwenden. Stellen Sie sicher, dass Sie zuckerfreie Schokolade wählen, die keinen Zuckerzusatz enthält und zu 70-99 Prozent aus Kakao besteht.

Gehen Sie nicht hungrig einkaufen - Dies ist ein bekannter Tipp, der Ihnen garantiert dabei hilft, Heißhungerattacken und die damit verbundenen spontanen Einkäufe zu vermeiden.

Schließen Sie Ihre Mitmenschen mit ein - warum essen Sie beim nächsten Familientreffen nicht einfach einen Obstsalat anstelle von Kuchen? Warum nicht zuckerfreies Müsli im Büro kaufen? Am Ende profitiert jeder davon. \.

Vorbereitung ist die halbe Miete - die Tatsache, dass Sie zum Beispiel an einem Filmabend einen Snack haben möchten, ist irgendwie ein Teil davon. Wie wäre es, wenn Sie sich einfach einen gesunden und zuckerfreien Snack machen, der Popcorn, Pommes und dergleichen standhält? Wir können Ihnen Gemüsesticks empfehlen. Und die Auswahl an Gemüse ohne Zucker ist großartig.

Fangen Sie zusammen an - machen Sie das Projekt zuckerfrei mit einer gleichgesinnten Person, damit Sie sich gegenseitig motivieren können. Was in Bewegung funktioniert, kann auch in einem zuckerfreien Leben funktionieren.

Genießen Sie es bewusst - wenn Sie nach der Zuckerbombe greifen, genießen Sie es auch. Es macht keinen Sinn, wenn Sie sich in diesem Moment schlecht fühlen oder sich selbst belügen. Dann genieße lieber die kleine Sünde und sehe das Ganze als Ausnahme. Früher oder später sind die meisten herkömmlichen Süßigkeiten sowieso zu süß für Sie. Und wie Sie oben erfahren haben, können Süßigkeiten ohne Zucker oder mit weniger Zucker auskommen und schmecken auch gut.

Das ultimative ZUCKERFREIE Kochbuch für Anfänger

50+ ZUCKERFREIE REZEPTE

Christine Kuhn

EINFÜHRUNG

Zucker ist kalorienreich, verursacht Karies, kann zu Fettleibigkeit führen und Krankheiten wie Diabetes fördern. Die Weltgesundheitsorganisation WHO rät so sehr dazu, dass wir unsere Zuckeraufnahme reduzieren. Es sollten nicht mehr als 6 Teelöffel pro Tag sein. Nach Angaben der Deutschen Ernährungsgesellschaft (DGE) liegt die Aufnahme von freiem Zucker in Deutschland deutlich über der Empfehlung, nämlich 61 g / Tag für Frauen und 78 g / Tag für Männer. Aber wie schaffen Sie es, 10 Teelöffel einzusparen und im Alltag eine zuckerfreie oder zuckerarme Ernährung einzuführen?

Das Problem ist, dass fast alle Lebensmittel Zucker enthalten, wenn auch in verschiedenen Formen: Haushaltszucker (Saccharose), Traubenzucker (Glucose), Fructose ... Es ist also ziemlich kompliziert, Zucker vollständig zu vermeiden. Wir geben Ihnen jedoch einige Tipps, wie Sie trotzdem so zuckerfrei wie möglich essen können

ZUCKERFREIE ERNÄHRUNG: IST DAS AUCH MÖGLICH?

Ich benutze Zucker kaum zum Süßen, könnte der eine oder andere jetzt denken. Richtig, der reine Haushaltszucker wird im Alltag nicht so oft verwendet. Es ist jedoch in sehr vielen Fertiggerichten enthalten. In der Pizza zum Beispiel Brot, Fruchtjoghurt, Wurst und natürlich Süßigkeiten, Schokolade, Kuchen, Kekse ... Und ja, die meisten essen ziemlich viel.

Eine völlig zuckerfreie Ernährung ist kaum möglich und muss es auch nicht sein. Darf gar nicht sein! Weil Zucker (aber nur in einer bestimmten Form) der Treibstoff für unseren Körper ist, ohne ihn könnten wir nicht leben. Es ist wichtig, dass Sie Lebensmittel mit verstecktem Zucker kennen und reduzieren.

Zu viel Zucker ist schädlich

WARNUNG, ZUCKERFALLE

Wer 100% zuckerfreie Lebensmittel sucht, wird enttäuscht sein. Weil in fast allen Lebensmitteln etwas Zucker enthalten ist. Trotzdem gibt es natürlich Produkte, die mehr Zucker enthalten als andere: Süßigkeiten, Eis oder Kuchen schreien fast "Zucker". Es ist gut, dies zu reduzieren, aber nicht genug, wenn Sie auf eine zuckerfreie oder zuckerarme Ernährung achten möchten.

Wenn Sie so "zuckerfrei" wie möglich essen möchten, sollten Sie versuchen, sich so oft wie möglich selbst zu kochen und Fertiggerichte zu vermeiden. Indem Sie Ihre Mahlzeiten selbst mit frischen, natürlichen Produkten zubereiten, können Sie Ihren Zuckerkonsum garantiert reduzieren.

ZUCKERFREIE ERNÄHRUNG: FRISCHES KOCHEN IST EIN MUSS

Wenn Sie solche Produkte kaufen, achten Sie auf die Liste der Zutaten. Denn hinter Zucker stehen verschiedene Begriffe: Glukose, Fruktose, Maltose, Maltodextrin, Sirup, Maltoextrakt.

Zucker ist nicht nur ein großartiger Geschmacksträger, sondern kann auch als Konservierungsmittel oder Verdickungsmittel zugesetzt werden. Jeder, der jemals selbst Marmelade gemacht hat, weiß, wie lange die Marmelade durch Zugabe von Zucker haltbar ist ...

JENE, DIE NACH EINER NIEDRIGZUCKER- ODER ZUCKERFREIEN DIÄT streben, SOLLTEN DIESE LEBENSMITTEL VERMEIDEN:

- Cornflakes und fertiges Müsli
- Weißbrot und Toast
- Fruchtjoghurt
- Süßigkeiten
- Kuchen und Torten
- Pommes und Brezelsticks
- Ketchup
- Fast Food und Fertiggerichte
- Alkoholfreie Getränke

Wie gut sind Zuckeralternativen?

Möchten Sie lieber Süßstoffe oder Honig anstelle von Zucker verwenden? Sie müssen nicht ganz auf Süße (n) verzichten, wenn Sie Ihren Zuckerkonsum reduzieren möchten. Weil es viele Alternativen zu

Haushaltszucker gibt, z. B. Honig, Agavensirup, Stevia oder verschiedene Süßstoffe. Jeder hat seine Vor- und Nachteile:

Honig und Agavensirup: Enthält auch viel Zucker, ähnlich kalorienreich und kann zu Karies führen.

Stevia: ist besser, weil es 0 Kalorien enthält und immer noch ganz natürlich ist. Der Geschmack ist jedoch gewöhnungsbedürftig.

Auf der anderen Seite sollten Sie Süßstoffe vermeiden, sie sind immer noch Gegenstand von Kritik.

Gesünder und weniger Kalorien: Hier finden Sie noch mehr Ideen für köstliche Zuckeralternativen!

Unser Tipp: Nehmen Sie echten Zucker, wenn Sie etwas süßen möchten, aber reduzieren Sie die Menge schrittweise. Zitrone zum Beispiel schmeckt auch im Tee sehr gut.

Ist Honig wirklich gesünder als Zucker?

Die besten Tipps für eine zuckerfreie Ernährung

Möchten Sie eine zuckerarme oder zuckerfreie Diät ausprobieren? Dann halten Sie sich am besten an folgende Tipps:

Kocht so frisch wie möglich und verwendet keine fertigen Produkte.

Essen Sie so oft wie möglich unverarbeitete Lebensmittel wie Obst, Gemüse, Fleisch, Eier oder Haferflocken. Milch, Naturjoghurt, Quark oder Käse sind ebenfalls gute Alternativen.

Eliminiert Zucker und Süßstoffe in Getränken

Trinken Sie Wasser und Kräuter- oder Früchtetee anstelle von Soda und Saft.

Lernen Sie, Süßigkeiten mit Vergnügen zu essen - dann hat Heißhunger keine Chance und ein Stück Schokolade ist genug.

Zuckerfreie Ernährung: kleines Experiment

Zucker ist wie Salz: Unser Körper und insbesondere unsere Geschmacksknospen gewöhnen sich schnell an "zu viel" Gutes: Wer viel Zucker isst, braucht immer mehr Süße für einen optimalen Geschmack.

Mit anderen Worten: Sie süßen viel stärker, weil alles andere sauer schmeckt oder wie nichts schmeckt.

Umgekehrt bedeutet dies auch, dass Sie, wenn Sie wenig Zucker essen, das Aroma viel intensiver schmecken und es dementsprechend auch weniger süßen müssen.

Achten Sie eine Woche lang genau auf alles, was Sie essen. Schreiben Sie alle zuckerreichen Lebensmittel auf und lassen Sie sie nach und nach weg, um Ihren Zuckerkonsum zu reduzieren. Sie werden sehen: Schon nach wenigen Wochen schmecken Sie Zucker viel deutlicher. Und vieles, was Sie vorher gut geschmeckt haben, ist plötzlich zu süß ... Manchmal ist weniger mehr!

ZUCCHINI MUFFINS

Portionen: 1

ZUTATEN

- 85 g   Butter, weich
- 90 g   Sirup (Reissirup)
- ¼ pck.   Zahnstein Backpulver

- 2   Eier)
- 50 g   Mahlzeit mit Getreide
- 50 g   Reismehl
- 70 g   Milch
- 100 g Zucchini, gerieben, lassen das weiche Innere weg
- ¼ TL Vanillepulver (Bourbon)
- 1 Prise (n)   Salz-

VORBEREITUNG

Den Backofen auf 175 ° C vorheizen,

Die Eier trennen, das Eiweiß mit einer Prise Salz steif schlagen, die restlichen Zutaten zusammenrühren (ich habe es mit dem Mixer gemacht), das Eiweiß unterheben (kein Mixer).

Der Teig sollte die Konsistenz eines Teigs haben, vielleicht etwas weicher.

Eine 12-Tassen-Muffinform mit Papiereinlagen auslegen und den Teig darin verteilen.

Backzeit ca. 30-35 Minuten bei 175 ° C.

Sie sind super lecker und saftig und sie schmecken wirklich nicht wie Zucchini.

Trinkgeld:

Es wird definitiv auch gut mit Kokosflocken schmecken.

JUPITER - KUCHEN

Portionen: 1

ZUTATEN

Für den Teig:

- 250 g Weizenmehl (Vollkorn)
- ½ TL Backpulver

- Eier)
- 150 g Butter oder Margarine
- Für die Creme:
- 500 g Joghurt, Vollmilch, weiß
- ¼ Liter   Orangensaft, ungesüßt
- ½ Zitrone (n), der Saft davon
- 4 Eigelb
- 13 ml Süßstoff, flüssig, ca.
- 14 Blatt   Gelatine, weiß
- 400 g Früchte (Ananas, Pfirsiche, Erdbeeren, Himbeeren, ...)
- 4 ..   Protein
- 4 EL Zwieback - oder Ladyfingers Krümel

Für die Besetzung:

- 6 Blatt   Gelatine, weiß
- ⅛ Liter   Saft,   ungesüßt,   dunkelrot (schwarze Johannisbeere, Kirsche)
- ⅛ Liter   Saft,   ungesüßt,   hellrot (rote Johannisbeere, Himbeere)
- ⅛ Liter   Orangensaft, ungesüßt

- Etwas Süßungsmittel

VORBEREITUNG

Der Kuchen hat seinen Namen, weil er wie einer von Jupiters Monden marmoriert ist.

Kneten Sie ein Mürbeteiggebäck aus den Zutaten für den Teig (24 cm), kühlen Sie es 30 Minuten lang, rollen Sie es aus und legen Sie den Boden einer mit Backpapier ausgelegten Springform mit dem Teig aus (ziehen Sie den Rand nicht hoch!). Stechen Sie mehrmals mit einer Gabel kochen und bei ca. 180 ° C kochen. 15-20 Minuten backen, abkühlen lassen.

Für die Füllung den Joghurt mit dem Orangen- und Zitronensaft mischen. Das Eigelb in einem heißen Wasserbad schaumig schlagen und unter die Joghurtmischung heben.

Gelatine einweichen, ausdrücken, bei milder Hitze auflösen, etwas abkühlen lassen, mit einem Teil der Joghurtmischung gleichmäßig umrühren und zum Rest der Joghurtmischung geben. Die Creme mit flüssigem Süßstoff würzen.

Das Eiweiß mit etwas Zitronensaft steif schlagen und unterheben, sobald die Gelatine ausgehärtet ist.

Schneiden Sie die Früchte in kleine Stücke, bitte verwenden Sie keine frischen für Ananas! Verwenden Sie für Konserven natürlich Diabetikerwaren.

Die Früchte unter die Sahne heben.

Legen Sie einen Kuchenring um den Kuchenboden und gießen Sie die Hälfte der Sahne hinein. Streuen Sie die Krümel auf die Sahne, gießen Sie den Rest der Sahne darauf. 2-3 Stunden kalt stellen.

Die Gelatine für den Belag einweichen.

Erhitzen Sie die drei Säfte getrennt und lösen Sie jeweils 2 Blatt Gelatine in jedem auf, falls erforderlich, mit etwas Süßstoff süßen, auf Handtemperatur abkühlen lassen, über den Kuchen großflächig verteilen und mit der Rückseite eines Löffels Streifen durch den Saft ziehen verschiedene Säfte, so dass eine schöne Marmorierung entsteht.

Mindestens 3-4 Stunden kalt stellen, vorzugsweise über Nacht.

Wenn Sie den Kuchen mit Zucker machen möchten, benötigen Sie etwa 50-80 g für die Basis und 200 g für die Sahne.

FEINE BLUEBERRY JAM

Portionen: 1

ZUTATEN

- 300 gBlaubeeren, frisch oder gefroren
- 2 ½ EL Zitronensaft
- 150 g Süßstoff (Xylit)

- 5 g Agartin
- 2 EL Rum

VORBEREITUNG

Die ersten vier Zutaten mischen, zum Kochen bringen und ca. 4 Minuten köcheln lassen. Vom Herd nehmen und den Rum einrühren. In Gläser füllen und 5 Minuten auf dem Deckel stehen lassen.

BANANEN-CURD-GERICHT

Portionen: 4

ZUTATEN

- 200 gMagerquark
- 3 Banane (n), je nach Größe reif
- 100 ml   Wasser, kalt

- Zimt Pulver
- n. B. B.   Nüsse, gehackt
- Möglicherweise. Kakaopulver
- Möglicherweise. Beeren, gemischt (TK)
- Möglicherweise. Honig

VORBEREITUNG

In einer großen Schüssel die geschälten Bananen mit einer Gabel zerdrücken. Gießen Sie den fettarmen Quark und das Wasser darüber und rühren Sie alles cremig um. Zimt einrühren. In Schalen gießen und nach Belieben mit gehackten Nüssen bestreuen.

Variationen:

Schokoladen-Bananen-Quark: Einen   Esslöffel entöltes Kakaopulver einrühren.

Bananen- und Beerenquark: Tauschen Sie einige der Bananen gegen tiefgefrorene Beeren aus. Möglicherweise mit etwas Honig süßen.

CHIA MANGO CARROT FRÜHSTÜCK

Portionen: 1

ZUTATEN

- 2 EL Chia-Samen
- 170 ml   Hafermilch   (Hafergetränk), ungesüßt

- 1 klein   Karotte
- 1 Teelöffel Hanföl, alternativ Hanfsamen oder Kokosöl
- ½ Mango (s), reif
- n. B. Erythrit (Zuckerersatz)

VORBEREITUNG

Die Chiasamen etwa eine halbe Stunde unter gelegentlichem Rühren in der Hafermilch einweichen.

In der Zwischenzeit die Karotte fein reiben und eine halbe reife, geschälte Mango in Würfel schneiden. Hanföl oder Hanfsamen (Achtung: Kokosöl verfestigt sich bei kalter Milch) in die Chiasamen-Hafermilch einrühren, Karotte und Mango untermischen, ggf. mit Erythrit oder einem anderen Süßstoff abschmecken. Wenn die Mango wirklich reif ist, brauchen Sie keinen zusätzlichen Süßstoff.

Variation: Banane statt Mango. Sie können auch Haferflocken oder Kleie einrühren. Wenn Sie es "würziger" mögen, können Sie auch eine Prise Zimt hinzufügen.

DIY SCHOKOLADEN

Portionen: 1

ZUTATEN

- 100 g Kakaobutter
- 1 Teelöffel Vanillepaste oder das Fruchtfleisch einer Vanilleschote

- 100 g Mandelbutter oder Cashewbutter
- 40 g Xylitol (Zuckerersatz) oder nB auch Zucker, Agavensirup oder Reissirup
- n. B. B.   Salz-
- Auch: (für die dunkle Schokolade)
- 35 g Kakaopulver von guter Qualität

VORBEREITUNG

Zunächst wird die Kakaobutter über einem heißen Wasserbad geschmolzen. Dann Vanillepaste und Mandelbutter hinzufügen und gut einrühren. Dann werden der Zuckerersatz und das Salz hinzugefügt und mit einem Schneebesen gut vermischt. Für dunkle Schokolade das Kakaopulver einrühren. Schließlich wird die flüssige Schokolade in eine geeignete Silikonform für Pralinen oder Schokoriegel gefüllt und zum Aushärten in den Kühlschrank gestellt.

Hinweis für alle, die an kommerzielle Schokolade gewöhnt sind: Vegane und zuckerfreie Pralinen sind sehr reichhaltig und Sie sollten auch hier nicht zu viele davon essen. Dieses Grundrezept kann mit

Nüssen, getrockneten Früchten und gemahlenen Gewürzen verfeinert werden.

SPIRELLI Gurkensalat

Portionen: 3

ZUTATEN

- 30 g Olivenöl
- 12 g Zitronensaft
- 1 Prise Piment d'Espelette

- 400 g Gurke (n)
- 5 g   Erythrit (Zuckerersatz), Xylit oder Stevia
- 1 Prise Pfeffer

VORBEREITUNG

Die Gurke mit einem Spiral- oder Julienne-Cutter in Gurken-Spaghetti schneiden, gut salzen und 15 Minuten stehen lassen, damit das Gurkenwasser austritt und die Marinade nicht wässert.

Für die Marinade 30 g Olivenöl, 1 Prise Piment d'Espelette, Xylit, Pfeffer und den Saft einer Zitrone verquirlen.

Nach 15 Minuten das Gurkenwasser abtropfen lassen, die Gurken gut abtropfen lassen und die Gurken in die Marinade werfen.

MATCHA COCONUT RAWNOLA

Portionen: 1

ZUTATEN

- 100 g Kokosraspeln
- 100 g Weiche Datteln ohne Kern
- ½ TLMatcha-Pulver

- ½ TLZimt

VORBEREITUNG

Alle Zutaten in einen Mixer geben und mit der Küchenmaschine zerhacken. Gießen Sie die zerbröckelte Masse in ein verschließbares Glas.

Die Rawnola eignet sich hervorragend als Belag für Müsli, Haferbrei und andere köstliche Desserts.

Ein kleiner Tipp: Die Masse kann auch leicht zu Kugeln geformt werden - ideal für Energiebisse

RAW PINK APPLESAUCE

Portionen: 2

ZUTATEN

- 2 Äpfel mit roter Haut
- 1 EL Agavendicksaft
- Zitronen)

- 1 Prise (n) Zimtpulver

VORBEREITUNG

Schneiden Sie die Äpfel mit der Haut und ohne Schale in kleine Stücke. Fügen Sie dem Apfel maximal ein Viertel der Zitrone ohne die Schale, aber mit der weißen Haut hinzu. Fügen Sie einen Spritzer Zitronensaft hinzu. Alles in einen Hochleistungsmixer geben, Zimtpulver und Agavensirup hinzufügen, wenn Sie möchten. Dann kräftig mischen, bis ein Püree entsteht.

Hinweis: Das Püree kann einige Stunden im Kühlschrank aufbewahrt werden. Es schmeckt am besten, wenn es sofort verzehrt wird.

DATUM SCHOKOLADE

Portionen: 1

ZUTATEN

- 50 g Kakaobutter
- 50 g Kakaopulver, leicht entölt
- 100 g Datum einfügen oder Datumsangaben

VORBEREITUNG

Erhitzen Sie zuerst Wasser auf 60 - 70 ° C (Wasserkocher), gießen Sie es dann in einen Topf und stellen Sie eine Schüssel (innen trocken!) Darauf, um ein Wasserbad mit der Kakaobutter zu nehmen. Jetzt müssen Sie nur noch warten, bis die Kakaobutter vollständig geschmolzen ist.

Im nächsten Schritt das Kakaopulver und das Datum (Paste) hinzufügen. Mischen Sie alles mit einem Stabmixer, einem Mixer, einem Schneebesen oder einem Multiquirl (je nachdem, ob Sie Dattelpaste oder Datteln verwenden). Die Mischung abkühlen lassen und auf 28 ° C abkühlen lassen.

Erhitzen Sie die Masse im nächsten Schritt auf 32 ° C (jedoch nicht über 50 ° C!). Dazu Wasser auf 40 - 50 ° C erhitzen, in den Topf geben und die Schokoladenmischung mit der Schüssel für ein Wasserbad darauf legen.

Portionieren Sie nun die Schokolade in Pralinenformen oder auf Backpapier oder ähnlichem. Teelöffel für Löffel. Die Schokolade sollte sitzen, bis sie aushärtet.

Portionen: 1

ZUTATEN

- 2 Eier)
- Banane (Substantiv)

VORBEREITUNG

Die Banane mit einer Gabel zerdrücken, bis die Mischung matschig ist. Es ist hier unerheblich, ob es weich oder hart ist. Wenn es sehr schwer ist, ist es ratsam, einen Mixer zu verwenden oder ihn mit einem Messer zu zerdrücken. Eier hinzufügen und gut mischen.

Die Hälfte in eine mikrowellengeeignete Schüssel mit Deckel geben und verschließen. 3,5 Minuten bei 600 Watt kochen. Seien Sie beim Öffnen vorsichtig, da der Dampf sehr heiß ist.

Machen Sie dasselbe mit dem Rest der Bananen-Ei-Mischung.

Auf einen Teller legen und bei Bedarf mit Ahornsirup und Obst servieren.

Da die Pfannkuchen nicht gebraten sind, sind sie sehr leicht, schmecken aber gleich.

LOW CARB CEREAL

Portionen: 1

ZUTATEN

- 100 g Haferflocken, glutenfrei
- 50 g Haselnüsse, gehackt, geröstet
- 50 g Mandeln, gehackt, blanchiert

- 50 g Sonnenblumenkerne
- 1 EL Aprikosenkernmehl, bitter
- 2 EL, gehäuft   Kokosraspeln
- 2 EL, gehäuft   Leinsamen Mahlzeit
- 1 EL Sesam, schwarz
- 1 EL Gold Leinsamen
- 1 EL Gomasio

VORBEREITUNG

Mischen Sie alles zusammen, Sie können die Menge selbst bestimmen.

Ich nehme 2 gehäufte Esslöffel der Getreidemischung für meine hausgemachte Joghurtschale.

ERDBEER UND PFIRSICH SMOOTHIE

Portionen: 2

ZUTATEN

- 250 g Erdbeeren
- 2 Pfirsich (e)

- 250 ml Hafermilch (Hafergetränk), zB B. Hafermilch Barista Art, möglicherweise mehr

VORBEREITUNG

Pfirsiche und Erdbeeren waschen. Entfernen Sie das Grün der Erdbeeren und den Kern der Pfirsiche. Alles in kleine Stücke schneiden und in einen Mixer geben. Fügen Sie die Hafermilch hinzu und mischen Sie alles kurz. Alternativ gut mit einem Stabmixer pürieren.

Wenn es nicht süß genug ist, können Sie ein wenig Süßstoff hinzufügen. Passen Sie die Menge an Hafermilch nach Ihrem Geschmack an. Einige mögen Smoothies eher dünn, andere eher dick.

VEGAN 3-FRUIT SMOOTHIE

Portionen: 1

ZUTATEN

- Banane (Substantiv)
- 90 g Johannisbeeren, rot
- ½ kleiner   Apfel

- 160 g Kokosjoghurt (Joghurtalternative)

- 150 ml   Mandelgetränk

- 1 EL Erythrit (Zuckerersatz) oder Süßstoff Ihrer Wahl

- 1 Prise (n) Vanille, gemahlen

VORBEREITUNG

Die Banane schälen und in Stücke schneiden. Den halben Apfel waschen und nur den Stiel und die Blume entfernen, ebenfalls in Stücke schneiden. Waschen Sie die Johannisbeeren und entfernen Sie sie mit einer Gabel vom Stiel. Die Früchte und alle anderen Zutaten in einen Mixer geben und auf höchster Stufe ca. 1 - 1,5 Minuten mischen. Alternativ mit einem Stabmixer pürieren. Hier bleiben jedoch die Körner der Johannisbeeren ganz.

GANZES TOASTBROT

Portionen: 1

ZUTATEN

- 50 g Wasser (warm
- 1 EL Erythrit (Zuckerersatz) oder Xylit (Zuckerersatz)

- ½ Würfel   Hefe
- 500 g Vollkornmehl
- 1 ½ TL   Salz-
- 250 g Milch, lauwarm
- 50 g   Margarine oder Butter, weich
- Etwas Margarine zum Bürsten

VORBEREITUNG

Für den Vor-Teig das Wasser mit dem Erythrit und der Hefe mischen, einen Esslöffel Mehl zu der Mischung geben und die Mischung eine Viertelstunde lang an einem warmen Ort gehen lassen.

Mischen Sie den Vor-Teig mit den restlichen Zutaten, um einen Teig zu bilden, und kneten Sie ihn etwa 5 Minuten lang, bis ein schöner, weicher Hefeteig entsteht. Es sollte nicht an deinen Händen haften. Bevor der Teig in der Schüssel zur Ruhe kommt, fetten Sie die Schüssel vorher ein. Ich benutze dafür Back-Release-Spray, aber etwas Öl sollte genauso gut funktionieren. Lassen Sie den Teig 60 Minuten an einem warmen Ort gehen.

Den etwa doppelt so großen Teig auf einer bemehlten Arbeitsfläche zu einem Rechteck ausrollen und dann aufrollen, so dass sich eine große Heferolle bildet. In eine zuvor gefettete Laibpfanne geben, mit Margarine bestreichen und an einem warmen Ort eine weitere Stunde gehen lassen. Meine Kastenform ist 28 cm x 11 cm.

Den Teig 30 Minuten bei 170 ° backen. Nach dem Backen das Brot erneut mit Margarine bestreichen und unter einem Geschirrtuch abkühlen lassen. So bleibt es innen schön weich.

HIMBEER LIMONADE

Portionen: 1

ZUTATEN

- 1 kg   Himbeeren, gefroren
- 50 ml Limettensaft oder Zitronensaft
- n. B. B.   Stevia

- n. B. B.   Minze
- n. B. B.   Basilikum

VORBEREITUNG

Die Himbeeren mit dem Limettensaft zum Kochen bringen und ca. 30 Minuten köcheln lassen. Nun durch ein Tuch gehen. Dann mit Minze und Basilikum verfeinern und mit Stevia süßen. Lassen Sie es abkühlen und gießen Sie es dann in eine Flasche.

Die Masse ergibt ca. 700 ml Saft.

Dann fügen Sie Mineralwasser hinzu, um zu trinken. Das Mischungsverhältnis beträgt 1 zu 5.

Portionen: 2

ZUTATEN

- 100 g Mehl
- 150 g Haferflocken
- 1 Prise   Stevia-Pulver, ca. 0,3 g

- 3 Karotte (n), gekocht, ca. 200 g
- 2 Banane (Substantiv)
- 1 EL Öl

VORBEREITUNG

Mischen Sie die trockenen Zutaten. Die gekochten Karotten zusammen mit den Bananen pürieren. 1 Esslöffel Öl hinzufügen und mit der trockenen Mischung kneten. Wenn der Teig zu flüssig ist, fügen Sie mehr Mehl hinzu.

Den Teig zu Kugeln formen, mit Backpapier auf ein Backblech legen und flach drücken. Bei 180 ° C (obere / untere Hitze) ca. 35 Minuten backen.

Joghurt-Eiscreme mit Rhabarber- und Erdbeerstrudeln

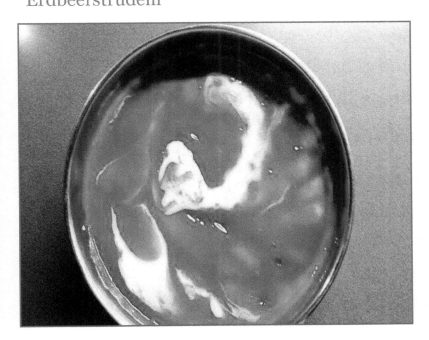

Portionen: 1

ZUTATEN

- 500 g Sahne
- 500 g Joghurt, 3,5%

- 120 g Süßstoff, (Erythrit)
- 1 Prise   Vanillepulpe
- 500 g Erdbeeren
- 200 g Rhabarber
- Etwas Süßungsmittel (Erythrit)

VORBEREITUNG

100 g der Creme mit dem Erythrit erhitzen, bis es sich aufgelöst hat. Abkühlen lassen. Die restliche Sahne schlagen, Joghurt und Vanillepulpe unterrühren und den abgekühlten Sahnesirup einrühren. Die Mischung in den Gefrierschrank stellen.

Erdbeeren und Rhabarber putzen und hacken. Fügen Sie ein wenig Erythrit hinzu (es ist besser, mit etwas zu beginnen) und lassen Sie die Mischung einkochen, bis sie die Konsistenz von Marmelade hat. Mit Erythroid nochmals abschmecken. Abkühlen lassen.

Der gefrorene Joghurt sollte etwa einmal pro Stunde gut gerührt werden, damit sich keine Eiskristalle bilden. Sobald die Konsistenz des Eises an Softeis erinnert (ca. 3-4 Stunden), die Erdbeer-Rhabarber-Mischung gleichmäßig darauf verteilen und mit einem Löffel marmorieren. Mindestens eine Stunde lang wieder einfrieren lassen. Macht etwa 1500 g Eis.

SCHOKOLADEN-BANANEN-MARZIPAN-VERBREITUNG

Portionen: 1

ZUTATEN

- 150 g Banane (Substantiv)
- 1 EL Kakaopulver

- 8 ..   Datum (e) ODER:
- 4 ..   Feige
- 100 g Haselnüsse
- 1 Teelöffel   Rapsöl
- 1 Teelöffel   Sirup (Agavensirup)
- 1 EL   Hafercreme
- 80 g   Marzipan
- 1 Port.   Aufstrich,   walnussgroß, (Carobella)

VORBEREITUNG

Alles in einem Standmixer mischen. In Gläser füllen.

REIS - AUSGETROCKNETER KOKOSNUSSKUCHEN

Portionen: 1

ZUTATEN

Für den Boden:

- 130 g Brauner Reis, mahlen

- 70 g   Buchweizen, mahlen
- ½ TLKoriander, mit Mahlen
- ½ Beutel / n Backpulver
- 1 Prise Salz
- 130 g Kondensmilch, 10%, bis zu 150 g
- 70 g   Butter

Zum Abdecken:

- 200 gKokosraspeln
- 680 gKondensmilch, 10%
- 70 g   Brauner Reis, mahlen
- ½ TLKoriander, mit Mahlen
- 1 Prise (n) Salz-
- 2 EL Johannisbrot, gehäuft Esslöffel

VORBEREITUNG

Mischen Sie alle Zutaten für die Basis gut, es sollte sich eine homogene Masse ergeben, legen Sie sie in eine mit Backpapier ausgelegte 26-cm-Ringform, glätten Sie die Basis und den Rand ein wenig damit und legen Sie sie beiseite.

Abdeckung:

Die Kokosflocken leicht rösten, in einen hohen Behälter geben, mit einem Stabmixer (möglicherweise einem Mixer) arbeiten, bis das Fett austritt. Sie können auch 1 Dose Kondensmilch nach etwa der Hälfte hinzufügen, aber schließen Sie den Deckel, diese Mischung und Die andere Dose Kondensmilch in die Rührschüssel geben. Mit einem Schneebesen der Küchenmaschine, jetzt auf Hochtouren, schaumig rühren, ist nicht so sehr auf das Fett der Kokosnuss zurückzuführen. Mischen Sie die gemahlenen braunen Reis- und Korianderkörner, eine Prise Salz und 2 gehäufte Esslöffel Johannisbrot, gießen Sie sie in die Kokosmilchmischung und rühren Sie sie weitere 3-5 Minuten bei voller Geschwindigkeit um.

Auf den Teigkuchenboden gießen und glatt schütteln.

Im kalten Ofen bei 150 ° C heißer Luft ca. 75 Minuten backen.

KÖRPERBAUER-PROTEINKUCHEN

Portionen: 2

ZUTATEN

- 150 Haferflocken
- 250 fettarmer Quark
- 2 Eier)

- 4 Protein
- 2 EL Eiweißpulver, Vanillearoma, ein anderes Aroma ist ebenfalls möglich
- Banane (n), mit einer Gabel zerdrückt
- ½ TLStevia

VORBEREITUNG

Alle Zutaten in eine ausreichend große Schüssel geben und zu einem gleichmäßigen Fruchtfleisch vermischen. Mikrowelle die Schüssel bei 600 Watt für 11 Minuten. Dann den Kuchen etwas abkühlen lassen.

Der Kuchen sollte auch im Ofen funktionieren, aber ich habe es nie probiert. Wenn Sie es probiert haben, sollten Sie auf jeden Fall dabei bleiben und regelmäßig überprüfen, wie sich der Kuchen entwickelt.

Das Ergebnis wird sicherlich keine Schönheitspreise gewinnen, aber es wird äußerst nahrhaft und gesund sein. Für Bodybuilder ist es ideal, um den Proteingehalt des Tages abzudecken. Für Menschen, die abnehmen wollen, ist es eine mögliche Alternative zu zuckerhaltigen Süßigkeiten und Mastnahrungsmitteln.

Der Kuchen schmeckt leicht süß und ist sehr sättigend. Es kann ideal geteilt und einige Tage im Kühlschrank aufbewahrt werden, so dass Sie jeden Tag 2-3 Stück genießen können.

Ich denke, es schmeckt am besten mit Vanille-Eiweiß, aber auf den Bildern wurde es mit Schokoladen-Eiweiß hergestellt.

Portionen: 4

ZUTATEN

Für den Teig:

- 60 g Kokosöl, nativ, Raumtemperatur
- Kokosöl zum Einfetten

- 40 g   Erythrit (Zuckerersatz)
- 80 g   Kokosnussmehl
- 10 g   Flohsamenschalen
- 1 Prise Steinsalz oder Meersalz, frisch gemahlen
- 1 Teelöffel Bourbon Vanillepulver nach Bedarf
- 2 TL gehäuftes Tartar-Backpulver
- 240 ml   Kokosnussgetränk oder andere Gemüsemilch ohne Zuckerzusatz
- Für das Topping:
- n. B. B.   Himbeeren oder Blaubeeren
- n. B. B.   Kokosjoghurt (Joghurtalternative), natürlich, mit ein paar Tropfen Stevia

VORBEREITUNG

Mischen Sie in einer Schüssel das warme Kokosöl und das Erythrit mit einer Gabel zu einer weichen Masse. Mischen Sie in einer anderen Schüssel das Kokosmehl, die Flohsamenschalen, die Vanille, das Zahnstein-Backpulver und das Salz mit einem Esslöffel. Dann diese Mehlmischung mit Kokosöl und Erythrit in die Schüssel geben und mit einer Gabel mischen, bis sie eine Konsistenz wie nasser Sand hat.

Fügen Sie die leicht erwärmte - oder zumindest raumwarme - Gemüsemilch hinzu und rühren Sie um. Ich denke, Kokosnussgetränk oder eine Mischung aus Kokosnussgetränk und Mandelmilch funktioniert am besten.

Lassen Sie den Teig etwa drei Minuten stehen und rühren Sie ihn gelegentlich um, bis die Milch absorbiert ist und keine Klumpen mehr darin sind. Der Teig ist relativ dick. Dann formen Sie den Teig mit Ihren Händen zu vier Kugeln von ca. Jeweils 100 g.

Das Waffeleisen gut vorheizen. Dann das Waffeleisen mit 1 Teelöffel Kokosöl einfetten. Legen Sie eine Teigkugel etwas über die Mitte. Schließen Sie das Waffeleisen und drücken Sie fest darauf, bis der Teig das Waffeleisen vollständig gefüllt hat. Lassen Sie es dann los und backen Sie es etwa vier Minuten lang hoch, bis die Waffel braun wird. Lassen

Sie die Waffel am Ende eine Minute abkühlen, damit sie richtig fest wird.

Zum Schluss den gewünschten Belag darüber geben. Ich mag es am liebsten mit Beeren und natürlichem Kokosjoghurt mit ein paar Tropfen Stevia.

DREHKOCHEN MIT TIGERMUTTERN, KOKOSNUSS, AMARANTH UND STEVIA

Portionen: 1

ZUTATEN

- 250 g Dinkelmehl oder Vollkorn
- 30 g Kokosraspeln

- 2 EL Erdmandel (n)
- 3 EL Amaranth, knallte
- 1 Teelöffel Backpulver
- Eier)
- 2 Teelöffel Stevia mit Erythrit (Groovia)
- 1 Prise   Stevia
- 100 g Butter
- 2 EL Mus, (Mandelbutter) grob

VORBEREITUNG

Mischen Sie das Mehl mit den anderen trockenen Zutaten, fügen Sie das Ei, Butter (kalt) und Mandelbutter hinzu und kneten Sie es zu einem Mürbteiggebäck. Im Kühlschrank ca. 1 Stunde. Den Teig ausrollen, die Kekse ausschneiden und auf ein mit Backpapier ausgelegtes Backblech legen.

Den Backofen auf 180 Grad vorheizen und die Kekse ca. 12-15 Minuten backen.

Hinweis:

Seien Sie vorsichtig mit dem Süßen von Stevia. Die Süße kommt erst nach dem Backen richtig zur

Geltung. Wenn eine Süßung gewünscht wird, verwenden Sie am besten die Messerspitze (Sie können auch Xylit oder Agavensirup verwenden). Probieren Sie es einfach aus - Übung macht hier den Meister!

KAROTTENKUCHEN ODER KAROTTENMUFFINE

Portionen: 3

ZUTATEN

- 3 Karotte (n) (400-450 g)
- 3 g Aroma (Citroback)

191

- 4 Protein
- 4 g Sojamehl
- 2 EL Wasser
- 1 Prise Zimt
- 100 g Mehl, (Vollkorn-Roggenmehl)
- 1 Teelöffel Backpulver
- 1 Prise Salz
- 1 Prise (n) Nelkenpulver
- 3 TL Süßstoff

VORBEREITUNG

Die Karotten fein reiben und mit Citroback mischen, das Roggenmehl mit Backpulver mischen. Den Backofen auf 180 Grad vorheizen.

Aus Sojamehl und Wasser einen Eigelbersatz herstellen und mit Süßstoff mischen. Zimt, Nelkenpulver, Karotten und die Backpulver-Mehl-Mischung einrühren. Das Eiweiß mit Salz steif schlagen und unterheben.

Gießen Sie den Teig in eine 6-Tassen-Silikon-Muffinform oder eine Silikon-Kuchenform und glätten Sie ihn. 60-70 Minuten backen (in der Kuchenform, entsprechend kürzer in der Muffinform, Stick-Test!) Auf dem mittleren Rost. Auf einem Rost abkühlen lassen.

Der Kuchen ist sehr feucht und feucht!

Hinweis: Sie können 4 ganze Eier anstelle von Eiweiß, Sojamehl und Wasser verwenden.

Die Kalorienzahl bezieht sich auf eines von sechs Muffins.

RASPBERRY COOKIES

Portionen: 1

ZUTATEN

- 200 gMehl
- 3 TL Backpulver
- 1 Teelöffel Öl

- 150 g Himbeeren
- Eier)

VORBEREITUNG

Mehl, Backpulver und Ei mischen, bis ein krümeliger Teig entsteht. Dann das Öl hinzufügen.

Den Backofen auf 160 Grad vor / unten vorheizen.

Den Teig zu Kugeln formen und flach drücken. 10-15 Minuten backen.

Die Kekse sind nicht sehr süß. Wenn Sie möchten, können Sie etwas Süßstoff oder Zucker hinzufügen.

SHORTCRUST-GEBÄCKSTÜCKE MIT RASPBERRIES

Portionen: 1

ZUTATEN

- 140 g Süßstoff, (Erythrit)
- 200 gMargarine

- 300 gMehl

- 1 m großer Apfel

- 1 Handvoll Himbeeren, gefroren oder frisch

- 2 Teelöffel, geebnet.   Puddingpulver

- 1 EL Süßstoff, (Erythrit)

VORBEREITUNG

Mehl, Margarine und 140 g Erythrit zu einem Mürbeteig kneten und 30 Minuten im Kühlschrank lagern.

Den Apfel schälen, in kleine Stücke schneiden und mit den Himbeeren mischen. Mit Puddingpulver und 1 Esslöffel Erythrit bestreuen und mischen.

Den abgekühlten Teig dünn ausrollen und mit einem großen Glas Kreise ausschneiden. Legen Sie einen Stapel der Fruchtfüllung auf die Hälfte der Kreise, bedecken Sie jeden mit einem zweiten Kreis und drücken Sie ein wenig auf den Rand. Damit die Füllung beim Backen nicht an den Seiten ausläuft, kratzen Sie ein oder zwei Schlitze im oberen Kreis, bevor Sie die Füllung abdecken. Mit etwas Wasser oder Milch bestreichen und bei 175 ° C ca. 25-30 Minuten backen.

LOW CARB BUNS, GLUTENFREI

Portionen: 1

ZUTATEN

- 250 g Magerquark
- 4 groß   Eier)
- 5 g Backpulver

VORBEREITUNG

Trennen Sie die Eier und schlagen Sie das Eiweiß steif.

Eigelb, fettarmen Quark und Backpulver mischen und zu dem steif geschlagenen Eiweiß und geben

nochmals gut umrühren.

Teilen Sie den Teig in 10 Kleckse auf einem mit Backpapier ausgelegten Backblech.

Den Backofen auf 180 ° C vorheizen und die Brötchen im mittleren Regal je nach gewünschter Bräune ca. 20-25 Minuten backen.

Lassen Sie die Brötchen abkühlen und bedecken Sie sie wie gewünscht.

KOKOSNUSSMAKRONEN

Portionen: 25

ZUTATEN

- 2 Protein
- 1 Teelöffel Zimt

- 100 g Kokosraspeln
- 1 Prise Salz

VORBEREITUNG

Legen Sie die ausgetrocknete Kokosnuss in eine beschichtete Pfanne und rösten Sie sie leicht, ohne Fett hinzuzufügen, bis sie anfängt zu bräunen. Hin und wieder mit einem Holzlöffel umrühren. Die Kokosflocken sollten nicht zu braun werden. Wenn Sie möchten, können Sie den Zimt mit den Kokosflocken mischen, dann die Pfanne sofort vom Herd nehmen und die Kokosflocken gut abkühlen lassen.

Das Eiweiß steif schlagen und eine Prise Salz hinzufügen. Das Eiweiß sollte so steif sein, dass es stabil ist. Wenn Sie es mit einem Messer schneiden, sollte der Schnitt sichtbar bleiben, dann ist es genau richtig.

Fügen Sie nach und nach die Kokosflocken hinzu und heben Sie sie mit einem Schneebesen locker unter das Eiweiß. Schlagen Sie sie nicht erneut, da sonst der Schnee zusammenbricht.

Den Backofen auf 125 ° -130 ° vorheizen. Ein Backblech mit Pergamentpapier auslegen oder sehr gut einfetten.

Eine kleine Menge der Kokosnussmischung mit einem Teelöffel abschneiden und auf das Backblech legen. Wischen Sie die Masse am besten mit einem zweiten Teelöffel ab. Auf diese Weise lassen sich die Makronen viel leichter formen. Lassen Sie genügend Platz zwischen den Kokosnusshaufen, da diese beim Backen noch ein wenig auseinander gehen.

Im vorgeheizten Backofen bei 125 ° -130 ° ca. 25 Minuten auf dem mittleren Rost backen, bis die Spitzen leicht braun werden.

Lassen Sie die Kokosmakronen am Ende der Backzeit vollständig abkühlen.

Da sie ohne Zucker zubereitet werden, sind sie besonders kalorienarm und schmecken köstlich wie Kokosnuss.

MILLET BUCKWHEAT MUFFINS

Portionen: 1

ZUTATEN

- 50 g Buchweizen
- 200 gHirsemehl
- 80 g Laktose

- 100 g Apfel

- 250 g Buttermilch, lauwarm

- ½ TL Zahnstein Backpulver

- 1 Prise Salz

- 1 Handvoll Flocken (Buchweizen- oder Hirseflocken)

VORBEREITUNG

Den Buchweizen in eine beschichtete Pfanne geben und ca. 2 - 3 Minuten auf hoher Stufe rösten. Seien Sie vorsichtig, wenn die Pfanne heiß ist, geht es sehr schnell.

Hirsemehl, Laktose, Salz und Backpulver in einer Schüssel mischen. Fügen Sie den gerösteten Buchweizen hinzu. Schneiden Sie den Apfel in kleine Stücke und fügen Sie ihn ebenfalls hinzu. Die Buttermilch erhitzen und zu den trockenen Zutaten geben und mischen. Der Teig wird sehr flüssig sein, also fügen Sie am Ende eine Handvoll Flocken hinzu, um eine viskose Masse zu erzeugen.

Die Mischung auf 10 mittelgroßen Muffinformen (aus Silikon, da diese in Papierformen kleben) verteilen und bei ca. 160 - 180 ° C (lüfterunterstützt) für 45 Minuten. Bei großen Muffinformen beträgt die Backzeit 60 Minuten.

Der Geschmack ist sehr stark und nicht für jeden Gaumen geeignet. Das Hirsemehl lässt die Muffins etwas bitter, aber nussig schmecken.

LOW-CARB LEMON MOUSSE MIT LEMON CURD SWIRLS

Portionen: 1

ZUTATEN

- 250 g Magerquark
- 250 g Creme fraiche

- 250 g Sahne

- 130 g Süßstoff, (Erythrit)

- 10 Spritzer Flüssiger Süßstoff

- Zitrone (n), der Saft

- 3 ½ Blatt Gelatine

- 5 EL Zitronenquark, kohlenhydratarm

VORBEREITUNG

Die Gelatine 5 Minuten in kaltem Wasser einweichen.

Drücken Sie die Zitrone aus und bringen Sie den Saft mit dem Erythrit vorsichtig zum Kochen. Das Erythrit schmilzt dabei. Nehmen Sie die Mischung vom Herd und lassen Sie sie kurz abkühlen. Die Gelatine einrühren, bis sie sich vollständig aufgelöst hat.

Mischen Sie den fettarmen Quark und die Crème Fraîche miteinander. Die Sahne steif schlagen. Falten Sie die Quarkmasse mit einem Esslöffel auf einmal in die Gelatinemasse und rühren Sie sie immer gut um. Die Masse ist jetzt ziemlich flüssig.

Die Sahne vorsichtig unterheben, mit flüssigem Süßstoff abschmecken und ca. 30 Minuten im Kühlschrank gelieren lassen.

Verteilen Sie den kohlenhydratarmen Zitronenquark (http://www.chefkoch.de/rezepte/26318114134011 39/Low-carb-Lemon-Curd.html) vorsichtig mit einem Löffel auf der Mousse und dem Marmor. Lassen Sie es nun gelieren, bis es fertig ist. Dies dauert mindestens 4 Stunden, vorzugsweise über Nacht.

Blaubeeren passen besonders gut dazu.

LOW-CARB COCONUT CHOCOLATES

Portionen: 1

ZUTATEN

- 200 gSahne
- 100 g Mus, (Kokosnuss)
- 50 g Süßstoff (Inulin)

- 50 g Süßstoff (Erythrit)
- 10 Spritzer Süßstoff, flüssig
- 150 g Ausgetrocknete Kokosnuss, fein

VORBEREITUNG

Sahne, Kokosnussbutter, Inulin und Erythrit in einem kleinen Topf erhitzen, bis alles geschmolzen ist. 100 g der ausgetrockneten Kokosnuss in die heiße Mischung einrühren und nach Belieben 10 kleine Spritzer flüssigen Süßstoffs hinzufügen. Alternativ können Sie auch 15 Tropfen Sucralose einnehmen. Eine Laibpfanne mit Aluminiumfolie oder Frischhaltefolie auslegen und die Mischung einfüllen.

Über Nacht im Kühlschrank abkühlen lassen. Die Masse sollte fest, aber leicht zu schneiden sein. Nehmen Sie die Kokosnussmischung aus der Laibpfanne und schneiden Sie sie in Quadrate. Rollen Sie jedes Quadrat vorsichtig in die verbleibende getrocknete Kokosnuss. Im Kühlschrank aufbewahren.

Portionen: 1

ZUTATEN

- 180 ml   Pfefferminztee
- 2 EL Chia-Samen
- 2 Teelöffel, geebnet.   Xylitol (Zuckerersatz)

- 1 EL   Haferflocken
- 1 klein   Birne (n), reif

VORBEREITUNG

Den Minztee kochen und abkühlen lassen. Dann werden die Chiasamen und der Zucker in den Tee eingerührt. 10 Minuten stehen lassen, dann Haferflocken hinzufügen und umrühren. In der Zwischenzeit die Birne schälen, in kleine Stücke schneiden und ebenfalls einrühren. Weitere 5 Minuten stehen lassen.

Kann auch für ein schnelles Frühstück am Abend zuvor zubereitet werden. Wenn Sie haben oder möchten, können Sie auch 2 - 3 frische Minzblätter hinzufügen.

SCHOKOLADE CRISPY MUESLI

Portionen: 1

ZUTATEN

- 110 g Sojaflocken
- 80 g Mischung aus Salatsamen (Kiefern-, Sonnenblumen- und Kürbiskerne)

- 20 g Quinoa, aufgeblasen

- 20 g Leinsamen

- 50 g Gemahlene Mandeln

- 200 gGehackte Nüsse, zB B. Walnüsse, Haselnüsse, Erdnüsse, Cashewnüsse

- 30 g Cornflakes

- 40 g Haferflocken

- 20 g Proteinpulver (Schokoladengeschmack)

- 25 g Kakaopulver

- 4 Protein

- 2 EL Honig

- Möglicherweise. Süßstoff

VORBEREITUNG

Den Backofen auf 150 ° C vorheizen (Ober- / Unterhitze). Alle trockenen Zutaten wiegen und in einer großen Schüssel gut mischen.

Mischen Sie das Eiweiß, den Honig und gegebenenfalls den Süßstoff, bis eine gleichmäßige Mischung entsteht. Über die Nüsse gießen und alles gut umrühren.

Alles auf zwei Tabletts verteilen und etwa eine Stunde lang in den Ofen stellen. Es ist am besten, alle 15 Minuten erneut zu rühren, damit sich keine Klumpen bilden - es sei denn, Sie möchten auch größere knusprige Stücke - und nichts brennt.

Dann abkühlen lassen und genießen. Wenn Sie möchten, können Sie getrocknete Früchte oder Schokoladenstückchen hinzufügen, wenn die Mischung abgekühlt ist.

Apfel- und Zimtkugeln

Portionen: 1

ZUTATEN

- 250 g Rosinen
- 100 g Apfelchips (Apfelringe), getrocknet, weich
- 50 g Walnüsse
- 1 Teelöffel Zimt

VORBEREITUNG

Geben Sie alle Zutaten in einen Hochleistungsmixer und mischen Sie, bis Sie aus der Mischung Kugeln bilden können. Formen Sie die Mischung mit Ihren

Händen zu kleinen Kugeln und lassen Sie sie in den Kühlschrank stellen.

Die Kugeln können perfekt im Gefrierschrank aufbewahrt werden.

FETTFREIE YEAST-PLAIT MIT STEVIA

Portionen: 1

ZUTATEN

- 300 g Mehl
- 1 pck. Trockenhefe
- 2 pck.   Vanillezucker

- 1 Prise (n) Salz-

- 150 ml   Milch, lauwarm

- 2 m großes Eigelb

- 30 g Butter, geschmolzen

- 2 Teelöffel Stevia

- 1 Spritzer Zitronensaft

- 1 Prise   Vanillepulpe oder 3 - 4 Tropfen Butter-Vanille-Geschmack

- 1 m großes Ei (e)

VORBEREITUNG

Mehl, Trockenhefe, eine Prise Salz und Vanillezucker in einer Schüssel mischen. In einer zweiten Schüssel Milch, 2 Eigelb, Stevia, Vanillepulpe oder Aroma und Zitronensaft verquirlen. Gießen Sie diese Menge mit den trockenen Zutaten in die erste Schüssel und kneten Sie sie mit dem Teighaken des Handmixers oder der Küchenmaschine zu einem Teig.

Die geschmolzene Butter zum Teig geben und kneten, bis ein elastischer Teig entsteht, der nicht mehr an der Schüssel haftet. Decken Sie den Hefeteig ab und lassen Sie ihn ca. 30 Minuten an einem warmen Ort gehen. Das Volumen des Teigs sollte sich ungefähr verdoppeln. Normalerweise heize ich meinen Ofen auf 40 Grad vor, schalte ihn aus und lasse den Teig im ausgeschalteten Ofen aufgehen.

Den aufgegangenen Teig nochmals kurz kneten und in 3 Portionen teilen. Formen Sie die 3 Portionen zu Strängen mit einem Durchmesser von ca. 4 cm und machen Sie einen Zopf. Die Enden können leicht unter den geflochtenen Zopf gesteckt werden. Legen Sie das Geflecht auf ein mit Backpapier ausgelegtes Backblech und decken Sie es ab und lassen Sie es 30 Minuten an einem warmen Ort gehen.

Ein Ei verquirlen und den Hefezopf damit bestreichen. Wenn Sie eine süße Glasur mögen, können Sie der Eimischung 30-40 g Puderzucker hinzufügen. Auf dem mittleren Rost bei 180 ° C im vorgeheizten Backofen 20-25 Minuten goldbraun backen.

SCHOKOLADE GRANOLA

Portionen: 1

ZUTATEN

- 2 Tasse / n Haferflocken
- 1 ½ Tasse / n   Walnüsse, gehackt
- 1 Tasse   Sonnenblumenkerne

- ½ Tasse Kürbiskerne
- 1 Tasse Leinsamen
- 4 EL Ahornsirup
- 90 g Kokosnussöl
- 4 TL Zimt
- 15 g Kakaopulver
- 1 Prise (n) Salz-
- Etwas Vanille (Bourbon Vanille)

VORBEREITUNG

Die Tasse sollte ein Fassungsvermögen von 150 ml haben.

Alle trockenen Zutaten in einer Schüssel vermischen. Den Backofen auf 180 ° C vorheizen. Ein Backblech mit Pergamentpapier auslegen.

Das Kokosöl in einem Topf erhitzen. Fügen Sie den Ahornsirup hinzu und rühren Sie ihn ein, bis das Kokosöl vollständig geschmolzen ist. Die Flüssigkeit zu den trockenen Zutaten geben und gut mischen. Die Mischung auf dem Backblech verteilen und gut verteilen.

Das Müsli im vorgeheizten Backofen 30-40 Minuten backen, je nach gewünschtem Bräunungsgrad. Das Müsli alle 10 Minuten wenden, damit es gleichmäßig knusprig wird.

Das Müsli abkühlen lassen. Es wird mehrere Wochen in einem geschlossenen Behälter aufbewahrt.

AVOCADO NICE CREAM - VERSCHIEDENE VARIATIONEN

Portionen: 2

ZUTATEN

- ½ Apfel
- 1 m große Avocado (n)

- 3 EL Limettensaft, frisch gepresst
- 150 ml   Kokosmilch
- 2 Nektarine (n), TK
- 1 Handvoll Früchte, TK
- 1 EL Blaubeeren, TK

VORBEREITUNG

Zuerst die Avocado schälen und den Apfel grob hacken. Zusammen mit dem Limettensaft und 75 ml Kokosmilch in einen Mixer geben. Legen Sie drei Scheiben der Nektarine zur Dekoration beiseite und fügen Sie den Rest hinzu. Alles zusammen pürieren. Die Hälfte der Mischung kann nun in ein Becherglas gefüllt werden.

Für die zweite Variante die Handvoll Beeren und den Rest der Kokosmilch in den Mixer geben und erneut pürieren, bis eine cremige Mischung entsteht. Fügen Sie mehr Kokosmilch hinzu, wenn es nicht mischt oder zu dick ist. Die zweite Variante ist jetzt ebenfalls fertig.

Die beiden Variationen der schönen Creme mit gefrorenen Blaubeeren und Nektarinenscheiben dekorieren und sofort servieren. Minze als Dekoration ist auch lecker und erfrischend.

Tipp: Wenn keine gefrorenen Früchte vorhanden sind, fügen Sie Eiswürfel hinzu, um eine optimale cremige Creme zu erhalten.

Alternativ vorbereiten, einfrieren und wenn Sie hungrig nach etwas Süßem sind, lassen Sie es 10 Minuten bei Raumtemperatur stehen und löffeln Sie es aus.

ERDBEER- UND MANGO-FRUCHT-VERBREITUNG

Portionen: 1

ZUTATEN

- 500 g Erdbeeren, zubereitet und gewogen
- 100 g Mango (s), gefroren, ungesüßt

- 300 gGeliermittel mit Birkenzucker (Xylit, zB aus Borcher)

VORBEREITUNG

Die gereinigten, gestielten Erdbeeren grob würfeln und mit den gewürfelten, aufgetauten Mangos und dem Püree in einen hohen Topf geben. Mit der Gelierhilfe mischen und zum Kochen bringen. Lassen Sie es gemäß den Anweisungen auf der Packung unter Rühren etwa 3 Minuten lang kochen.

Gießen Sie den Fruchtaufstrich in vorbereitete, sterilisierte Gläser, solange er noch heiß und dicht ist.

Bitte beachten Sie die Anweisungen auf der Verpackung der Gelierhilfe.

Portionen: 3

ZUTATEN

- Banane (Substantiv)
- 3 EL Kokosöl, geschmolzen
- 100 g Haferflocken, glutenfrei

- 100 g Gehackte Mandeln
- 1 Teelöffel Zimt Pulver

VORBEREITUNG

Den Backofen auf 150 ° C vorheizen.

Die Banane schälen und mit dem Kokosöl pürieren. Fügen Sie alle anderen Zutaten hinzu und mischen Sie gut mit Ihren Händen.

Auf einem mit Backpapier ausgelegten Backblech verteilen und im Ofen auf dem mittleren Rost ca. 25 Minuten goldbraun backen. Dazwischen wenden, damit nichts brennt.

SPINAT- UND KOKOSNUSS-SUPPE

Portionen: 2

ZUTATEN

- 1 EL Olivenöl, jungfräulich
- 300 gSpinat, TK
- 400 gKokosmilch

- n. B. B.   Pfeffer
- 6 ..   Feige (n), getrocknet
- 1 Tasse   Ziegenjoghurt, Griechisch, ca. 200 g

VORBEREITUNG

Das Olivenöl in einem mittelgroßen Topf erhitzen. Den gefrorenen Spinat in die Pfanne geben und kurz anbraten, bis er aufgetaut ist. Fügen Sie Kokosmilch hinzu und kochen Sie bei schwacher Hitze 10 Minuten lang, bis der Spinat aufgetaut ist. Mit dem Stabilisator pürieren, bis eine cremige Suppe entsteht. Pfeffern.

Mit getrockneten Feigen und Ziegenjoghurt servieren.

Portionen: 4

ZUTATEN

- 250 g Vollkornspaghetti
- Für die Knödel:
- 500 g Rinderhack

- Kräuter, italienisch
- Salz und Pfeffer
- Basilikum, ca. 2 - 3 g
- Eier (optional
- 2 EL Olivenöl zum Braten
- Für die Soße:
- 1 groß   Zwiebel (Substantiv)
- Knoblauchzehen)
- 1 groß   Rote Paprika)
- 1 m große Aubergine (Substantiv)
- 1 m große Karotte
- 8 m große Rebentomate (Substantiv)
- 2 Teelöffel Senf
- Zitrone (n), Saft davon
- 8 EL Tomatenmark
- Cayenne Pfeffer
- 4 Lorbeerblätter
- 9 Pfefferkörner
- 120 g Parmesan, gerieben
- 7 g   Basilikum

VORBEREITUNG

Waschen Sie die Tomaten und entfernen Sie den Stiel sowie kratzen Sie ein Kreuzmuster vollständig auf der Oberfläche.

Karotte, Zwiebel und Knoblauch schälen. Auberginen, Karotten und Pfeffer waschen. Basilikumblätter fein hacken. 1/3 der Karotten, Zwiebeln und des Knoblauchs und 1/8 der Paprika grob hacken.

Schneiden Sie für die Gemüsebrühe den Rest des Gemüses in mundgerechte Stücke Ihrer Wahl. Nun das Wasser zum Kochen bringen, die Lorbeerblätter, etwas Salz, Pfefferkörner und die Reste von Zwiebeln, Paprika, Karotten und Auberginen dazugeben und köcheln lassen.

Die Tomaten 4 - 5 Minuten in einem anderen Behälter kochen, dann schälen und in Achtel schneiden.

Das Hackfleisch mit Salz, Pfeffer, etwas Basilikum (ca. 2 - 3 g) und italienischen Kräutern in einem Topf mischen. Wenn Sie möchten, können Sie 1 Ei hinzufügen, dann hält die Mischung besser. Dann alles vermischen und daraus runde Knödel formen.

Dann in einer Pfanne mit 2 EL Olivenöl braten und nach 3 - 4 Minuten wenden.

Kochen Sie die Nudeln gemäß den Anweisungen auf der Packung.

Legen Sie die Frikadellen beiseite.

Für die Sauce das grob gehackte Gemüse (außer Auberginen) in dieser Pfanne 3 - 4 Minuten anbraten. Tomatenmark, Zitronensaft und Senf einrühren. Fügen Sie die Tomaten hinzu und braten Sie sie für weitere 3 - 4 Minuten. Füllen Sie alles mit 200 ml Gemüsebrühe und Püree.

Die restlichen Zutaten, alle Gewürze und Knödel wieder in die Sauce geben und 15 Minuten köcheln lassen.

In der Zwischenzeit die Aubergine in einer Pfanne mit etwas Olivenöl anbraten und mit Nudeln, Basilikumblättern und Parmesan servieren.

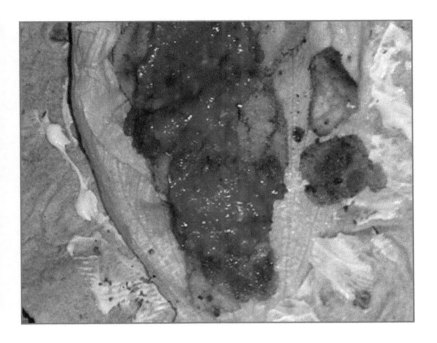

Portionen: 2

ZUTATEN

- 3 Wrap (s) (Mehrkorn oder Vollkorn)
- Für die Nuggets:
- 300 gHühnerbrust

- ¾ Tasse   Vollkornmehl
- 1 Tasse   Semmelbrösel (Vollkornbrot ist am besten) oder 1 abgestandenes Vollkornbrötchen
- Eier)
- Salz und Pfeffer
- Paprikapulver
- 1 EL Olivenöl
- 1 EL Butter
- Zum Abdecken:
- Eisbergsalat
- 2 groß   Rebe Tomate (Substantiv)
- 3 m groß   Essiggurken)
- 1 m.-groß   Zwiebel (Substantiv)
- Für die Sauce: (süß-saure Sauce)
- 2 kleine   Gebratene   Paprika   oder Chilischoten (je nach Hitzeempfindlichkeit)
- ¼ Apfel Ihrer Wahl
- 1 Zehe / n Knoblauch
- ½ klein   Schalotte (Substantiv)
- 4 Stück)   Ingwer ca. 1 x 1 cm

- 1 Stück   Meerrettich, ca. 1 x 1 cm
- ½ TLBalsamico oder Reisessig
- 1 klein   Chilipfeffer getrocknet
- 1 Teelöffel Sesamöl
- 1 EL Olivenöl
- 1 ½   Zitrone (n), Saft davon
- 1 ½ TL   Tomatenmark
- 3 kleine   Datteltomate (Substantiv)
- ½ TLHonig
- 1 Teelöffel Sojasauce
- Salz und Pfeffer
- etwas Chilipulver
- Für die Sahne: (saure Sahne)
- 1 Tasse Sauerrahm, ca. 150 - 200 g
- ¼ TL Salz, ca.
- ¼ TL Paprikapulver, ca.
- ¼ TL Kreuzkümmel, ca.
- ¼ TLKoriander, ca.
- ¼ TLChili, ca.
- ¼ TLKurkuma, ca.
- n. B. B.   Petersilie, gehackt

- n. B. B.   Kräuter der Provence

VORBEREITUNG

Für die Sauce zuerst die Paprika und den Apfel waschen. Knoblauch, Schalotte, Ingwer, Meerrettich und Apfel schälen. Knoblauch, Schalotte, Paprika, Ingwer, Meerrettich und Apfel fein hacken. Alles - außer dem Apfel - in Sesam und Olivenöl anbraten. Fügen Sie Tomatenmark hinzu und mischen Sie die restlichen Zutaten unter. Hacken Sie auch die Tomaten und fügen Sie sie hinzu. Mit ca. 25 ml Wasser mischen. Pürieren und vom Herd nehmen.

Das Fleisch in Stücke schneiden. 0,5 cm dick (Länge und Breite wie ein normales Nugget). Bauen Sie eine Panierlinie mit Mehl, Ei und Semmelbröseln (falls erforderlich, verwenden Sie ein Vollkornbrötchen mit einer groben Reibe für die Semmelbrösel). Das Ei mit Salz, Pfeffer und Paprika würzen und verquirlen. Brotstücke. In einer Pfanne mit 1 Esslöffel Butter und 1 Esslöffel Olivenöl auf beiden Seiten bei mittlerer Hitze ca. 3 - 4 Minuten braten.

Für die Verpackung die Tomaten waschen und in dünne Scheiben schneiden. Die Gurken in feine Scheiben schneiden. Den Eisbergsalat waschen und die Blätter abreißen. Zwiebel schälen und in feine Ringe schneiden.

Für die saure Sahne mischen Sie die saure Sahne mit allen Gewürzen (ca. 1/4 Teelöffel pro Gewürz) für die Sahne.

Füllen Sie nun die Wraps nach Belieben.

APPLE MANDARIN CAKE FÜR DEN BBA

Portionen: 1

ZUTATEN

- 20 g Stevia-Pulver
- 80 g Butter, weich
- 1 groß   Eier)

- 150 ml   Multivitaminsaft
- 70 g   Rosinen oder Sultaninen
- 2 kleine   Äpfel,   ca.   150   g   geriebene Mischung
- 1 groß   Mandarine (n), gewürfelt
- 1 Teelöffel   Mandarinenschale
- 350 g Weizenmehl Typ 405
- 1 Beutel   Backpulver
- Etwas Fettes für die Pfanne, zB Backspray oder Butter

VORBEREITUNG

Sprühen Sie die Brotform mit Backspray oder bestreichen Sie sie mit Butter.

Stevia, sehr weiche Butter, Ei, geriebene Äpfel, Mandarinenschale, Mandarinen und Rosinen in die Backform geben.

Legen Sie BBA auf Backen mit Kneten oder auf Teig. Mehl und Backpulver hinzufügen. Fügen Sie Multivitaminsaft hinzu, bis er die Konsistenz eines weichen Kuchenteiges hat. Der Brotteig ist zu fest.

Schließen Sie den Deckel und zünden Sie ihn etwa 1 Stunde lang an, wenn Sie ohne Kneten backen.

Beim Backen in einem auf 180 ° C vorgeheizten Ofen von oben / unten oder 160 ° C heißer Luft ca. 50 Minuten auf dem mittleren Rack.

VINSCHGERL AUS BAVARIA

Portionen: 1

ZUTATEN

- 180 ml   Buttermilch
- 150 ml   Wasser, lauwarm
- 5 Spritzer Maggi oder Maggi-Hot

- etwas Fenchelgrün
- n. B. Knoblauchzehen)
- 5 g Sauerteigextrakt (Pulver)
- 1 Teelöffel Liebstöckelpulver
- 2 Teelöffel Kümmel
- 1 Teelöffel Korianderpulver
- 20 g Meersalz, grob
- 2 Teelöffel Stevia-Pulver
- 200 g Roggenmehl
- 100 g Vollkornmehl
- 1 Beutel Trockenhefe
- Mehl zum Bestreuen

VORBEREITUNG

Mischen Sie zuerst die Flüssigkeiten mit dem Sauerteigextrakt und den trockenen Gewürzen. Fügen Sie Maggi oder Maggi-Hot hinzu. Das Meersalz und Stevia in der Flüssigkeit auflösen.

Das Fenchelgrün mit den kleinen Zweigen sehr fein hacken. Knoblauch durch eine Knoblauchpresse drücken oder fein hacken und zur Flüssigkeit geben.

Roggenmehl, Vollkornmehl und Trockenhefe mischen und unter Rühren Löffel für Löffel in den flüssigen Löffel gießen, bis ein sehr weicher Teig entsteht (ggf. Wasser hinzufügen). Den Teig mit einem Löffel in Portionen auf ein mit Backpapier ausgelegtes Backblech legen. Drehen Sie 6 gleich große Klumpen um und verteilen Sie sie flach mit einem Löffel und bestäuben Sie sie mit Mehl (nicht mit Mehl aufbewahren).

In einem warmen Ofen bei max. 50 ° C oben / unten ca. 30 Minuten erhitzen. Dann auf 180 ° C erhitzen und den Vinschgerl ca. 30 - 40 Minuten backen, bis eine schöne braune Kruste entsteht.

Tipp: Sie können den Gabeltest kurz vor Ende der Backzeit durchführen. Die Gabel sollte nicht mehr mit leichtem Druck in das Brot eindringen, aber die Kruste sollte sich leicht bewegen lassen.

Nehmen Sie das fertige Vinschgerl aus der Pfeife und lassen Sie es auf einem Gestell oder Geschirrtuch abkühlen.

Es ist nicht das Original, aber es war schnell weg.

Da einige Gewürze und Zutaten nicht in einem normalen Supermarkt (z. B. Schabzigerklee) gekauft werden können, verwende ich Haushaltsersatz.

KAFFEE - KUCHEN ARUSAN

Portionen: 1

ZUTATEN

- 750 g Quark (fettarmer Quark)
- 200 gMandel (n), süß +
- 20 g Mandel (en), bitter, geröstet +

- 200 gSonnenblumenkerne, geröstet + gemahlen
- 250 g Maiskörner, gemahlen
- 7 .. Ei (er), getrennt
- Süßstoff, flüssig, für 250 g Zucker
- 2 Preise Salz-
- 2 EL Kakaopulver ohne Zucker
- 3 EL Kaffeepulver, schwarz, (zB: Türkisch)
- 5 EL Rum, 54% oder mehr

VORBEREITUNG

Mischen Sie alle Zutaten außer dem Eiweiß. Dann das Eiweiß untermischen und mit einer Prise Salz steif schlagen. Im kalten Ofen bei 160 ° ca. 90-100 Minuten backen. Mit oberer + unterer Hitze auf ca. 180 ° + ca. backen 70 - 80 Minuten.

Hinweis: Wenn Sie anstelle von Süßstoff (ganzen Rohrzucker) Zucker zu sich nehmen, erhöhen Sie bitte auch die Flüssigkeit. Danach muss sie so dünn wie ein Teig sein, vorzugsweise etwas mehr. Besser zu öffnen. Besonders geeignet ist kohlensäurehaltiges Mineralwasser.

GUACAMOLE "AVOCADO-CREME

Portionen: 2

ZUTATEN

- Avocado (n), ca. 200 g
- 1 Teelöffel Mayonnaise, zuckerfrei
- 1 Teelöffel Senf, zuckerfrei

- Salz und Pfeffer

VORBEREITUNG

Die Avocado halbieren, den Stein entfernen (den Stein retten!) Und das Fleisch mit einer Gabel zerdrücken, bis es cremig ist. Mit Mayonnaise, Senf, Pfeffer und Salz würzen.

Um zu verhindern, dass die Avocadocreme braun wird, legen Sie den Kern in die Mitte der Creme und drücken Sie ihn zur Hälfte hinein.

Als Variation können Sie sehr kleine Tomatenwürfel in die Sahne rühren.

Die Creme schmeckt hervorragend als Dip mit kohlenhydratarmen Schweinehautchips.

100 g Avocadocreme enthalten 0,4 g Kohlenhydrate.

TROPIC SHAKE MIT SCHMETTERMILCH

Portionen: 4

ZUTATEN

- 700 ml   Fruchtsaft   (Orangen-Pfirsich-Passionsfrucht), zuckerfrei
- 500 ml   Buttermilch

- 100 ml   Grapefruitsaft, zuckerfrei
- Stevia, flüssig

VORBEREITUNG

Mischen Sie die Säfte mit der Buttermilch in einem Mixer. Den Tropenshake mit Süßstoff würzen. Nach Belieben mit frischen Grapefruit- oder Zitronenschnitzen garnieren.

Portionen: 1

ZUTATEN

- 250 g Butter
- 150 g Dunkle Schokolade, zuckerfrei

- 5 Ei (e), Größe M.
- 150 g Xylitol (Zuckerersatz)
- 25 g Kakao zum Backen
- 50 g Gemahlene Mandeln
- 7 g Backpulver
- Fett für die Form
- Für die Ganache:
- 100 g Dunkle Schokolade, zuckerfrei
- 100 ml Schlagsahne

VORBEREITUNG

150 g Schokolade und Butter im Wasserbad schmelzen. Eier und Xylit ca. 2 Minuten schaumig schlagen. Fügen Sie der schaumigen Mischung Backkakao, gemahlene Mandeln und Backpulver hinzu und rühren Sie kurz um. Fügen Sie die geschmolzene Butter-Schokoladen-Masse hinzu und rühren Sie sie 3 Minuten lang mit der höchsten Geschwindigkeit, bis sie cremig ist.

Fetten Sie die Springform (28 cm) ein, fügen Sie den Teig hinzu und glätten Sie ihn leicht. Nun in den vorgeheizten Backofen auf dem mittleren Rost stellen und ca. 30 Minuten backen.

Nehmen Sie den Kuchen nach dem Backen aus dem Ofen und lassen Sie ihn ca. 30 Minuten in der Springform abkühlen. Nehmen Sie den Kuchen nach dem Abkühlen aus der Springform.

Für die Glasur die Sahne kurz zum Kochen bringen und den Rest der Schokolade darin schmelzen. Gießen Sie die Glasur über den Kuchen und glätten Sie ihn. Den Kuchen ca. 1,5 Stunden kalt stellen, damit die Glasur fest wird.

Portionen: 1

ZUTATEN

- 8 Scheiben / n Mortadella, hauchdünn, italienisch, zuckerfrei
- 2 Eier gekocht

- 1 Scheibe / n Gouda, dünn geschnitten, je 30 g
- Etwas Mayonnaise, zuckerfrei, zB B. Thomy Tube, 0,1 g KH

VORBEREITUNG

Eier schälen und vierteln. Schneiden Sie die Gouda-Scheibe in 4 Streifen.

2 Scheiben Mortadella übereinander legen und mit einem Streifen Mayonnaise bedecken. Legen Sie einen Streifen Gouda daneben. Drücken Sie 2 Eierviertel nebeneinander auf die Mayonnaise. Das Ganze zu einer Rolle formen, dekorativ anordnen und genießen.

Meine Mortadella (Mondo Italiano, Netto) ist zuckerfrei und hat daher kein KH. 8 Scheiben wiegen 150 g. Stellen Sie beim Kauf sicher, dass es sich um italienische Mortadalla handelt, die normalerweise zuckerfrei ist.

SCHWARZE WALDCREME

Portionen: 8

ZUTATEN

- 36 Schokoladenküsse (vorzugsweise zuckerfrei)
- 1 Liter Schlagsahne

- 1.000 g   Magerquark
- 3 Gläser Sauerkirschen

VORBEREITUNG

3 Gläser Kirschen gut abtropfen lassen und die Sahne schlagen. Trennen Sie die Schokoladenküsse von den Waffeln und behalten Sie die Waffeln.

Schokoladenmasse, Quark und Kirschen in eine große Schüssel geben und mischen. Schlagsahne unterheben.

Kurz vor dem Servieren mit den Schokoladenwaffeln dekorieren.

LOW CARB VALENTINE'S HEART WAFFLE

FRÜHSTÜCK

Portionen: 1

ZUTATEN

- 65 g Mandel (n), blanchiert, gemahlen
- 2 Eier)

- 20 g Xylit (Zuckerersatz) oder Erythrit
- ½ TLBackpulver
- Etwas Butter oder Öl zum Einfetten
- 8 TL Erdbeerfruchtaufstrich, zuckerfrei
- 4 TL Nuss-Nougat-Creme, zuckerfrei
- 2 Teelöffel Xylitol (Zuckerersatz), gemahlen (wie Puderzucker)

VORBEREITUNG

Das Waffeleisen erhitzen.

In der Zwischenzeit die ersten 4 Zutaten in einen hohen Behälter geben und mit dem Stabmixer mischen. Sobald das Waffeleisen heiß ist, den Teig einfetten und in Portionen einfüllen. 2 Waffeln goldbraun backen.

Schneiden Sie für den Waffelturm die einzelnen Herzen wie in der Abbildung gezeigt aus den Waffeln. Verteilen Sie einen Teelöffel kohlenhydratarme Früchte auf vier Herzen und stapeln Sie 5 Herzen übereinander.

Wenn Sie möchten, erhitzen Sie die Nougatcreme leicht und verteilen Sie sie als Sauce auf dem Turm. Streuen Sie auch das Pulver Xylitol darüber.

FAZIT

Es gibt verschiedene Ansätze für eine zuckerfreie Ernährung: Während einige insbesondere Industriezucker meiden, lassen andere alle Arten von Zucker weg. Für einige sind getrocknete Früchte erlaubt, andere sind strenger, denn getrocknete Früchte enthalten natürlich viel Zucker. Grundsätzlich kann jeder selbst entscheiden, wo die Grenzen einer Zuckerdiät festgelegt werden sollen.

"Zuckerfrei leben" bedeutet für uns in erster Linie, auf traditionellen Haushaltszucker zu verzichten und alle Lebensmittel mit freiem oder zugesetztem Zucker zu meiden. Darüber hinaus ist es bei einer zuckerfreien Ernährung wichtig, so viel wie möglich mit frischen und unverarbeiteten Lebensmitteln zu kochen. Beim Einkaufen sollten Sie Ihre Lebensmittel bewusst auswählen.

Viele Lebensmittel enthalten natürlich auch Zucker. In Früchten in Form von Fruchtzucker (Fruktose). In Milch in Form von Milchzucker (Laktose). Dementsprechend ist es fast unmöglich, sich vollständig zuckerfrei zu ernähren. Mit Hilfe der richtigen Lebensmittelauswahl und ein paar einfachen Tipps können Sie jedoch dem steigenden Zuckerkonsum im Alltag entgegenwirken.

Tipps für einen zuckerfreien Alltag

Möchten Sie sofort mit der "zuckerfreien" Herausforderung beginnen? Schließlich haben wir einige Tipps für Sie zusammengestellt, die Ihnen helfen sollen, ein zuckerfreies Leben zu beginnen.

Lebe zuckerfrei - mit diesen 11 Tipps funktioniert es:

Zucker langsam entwöhnen - je mehr Zucker wir konsumieren, desto weniger empfindlich wird unser Geschmack im Laufe der Zeit dafür sein. Wir können diese Gewohnheit nutzen, weil sie auch umgekehrt funktioniert: Wenn wir zum Beispiel die Zuckermenge im Kaffee allmählich reduzieren, passt sich die Wahrnehmung nach einigen Wochen wieder an und wir kommen mit deutlich weniger Süße aus .

Ersetzen Sie den Haushaltszucker Stück für Stück - am besten setzen Sie sich am Anfang kleine Ziele, an die Sie sich halten können. Im ersten Schritt können Sie beispielsweise den Haushaltszucker durch Kokosblütenzucker ersetzen. Und wenn es um das Backen geht, gilt Folgendes: Experimentieren Sie mit weniger Zucker, insbesondere wenn es um Obst geht. Weil sie natürlich viel Süße mitbringen.

Vermeiden Sie versteckten Zucker - verarbeitete Lebensmittel aus dem Supermarkt wie Saucen, Dressings oder Fertiggerichte enthalten oft viel Zucker. Do it yourself ist die bessere Alternative, um Zucker zu sparen.

Iss dich richtig satt - Oft greifst du nach etwas Süßem, weil du immer noch hungrig bist. Um dies zu verhindern, sollten Sie sich mit dem Hauptgericht richtig satt essen. Essen Sie vor allem viel Eiweiß aus Fisch, Fleisch, natürlichen Milchprodukten, Eiern und Soja sowie viel langsame Kohlenhydrate aus Vollkornprodukten, Hülsenfrüchten und Gemüse. Finden Sie hier heraus, was die besten proteinreichen Lebensmittel sind.

Kaufen Sie nichts Süßes - Sie können nicht essen, was Sie nicht zu Hause haben. Diese Spitze ist Gold wert und beugt Heißhungerattacken vor.

Alternative, zuckerfreie Snacks finden - Wenn Sie insgesamt weniger Kohlenhydrate essen, nimmt Ihr Wunsch nach Zwischenmahlzeiten mit der Zeit ab. Und wenn es ein Snack sein sollte, ist es besser, Nüsse, Oliven oder ein Stück dunkle Schokolade zu verwenden. Stellen Sie sicher, dass Sie zuckerfreie Schokolade wählen, die keinen Zuckerzusatz enthält und zu 70-99 Prozent aus Kakao besteht.

Gehen Sie nicht hungrig einkaufen - Dies ist ein bekannter Tipp, der Ihnen garantiert dabei hilft, Heißhungerattacken und die damit verbundenen spontanen Einkäufe zu vermeiden.

Schließen Sie Ihre Mitmenschen mit ein - warum essen Sie beim nächsten Familientreffen nicht einfach einen Obstsalat anstelle von Kuchen? Warum nicht zuckerfreies Müsli im Büro kaufen? Am Ende profitiert jeder davon. \.

Vorbereitung ist die halbe Miete - die Tatsache, dass Sie zum Beispiel an einem Filmabend einen Snack haben möchten, ist irgendwie ein Teil davon. Wie wäre es, wenn Sie sich einfach einen gesunden und zuckerfreien Snack machen, der Popcorn, Pommes und dergleichen standhält? Wir können Ihnen Gemüsesticks empfehlen. Und die Auswahl an Gemüse ohne Zucker ist großartig.

Fangen Sie zusammen an - machen Sie das Projekt zuckerfrei mit einer gleichgesinnten Person, damit Sie sich gegenseitig motivieren können. Was in Bewegung funktioniert, kann auch in einem zuckerfreien Leben funktionieren.

Genießen Sie es bewusst - wenn Sie nach der Zuckerbombe greifen, genießen Sie es auch. Es macht keinen Sinn, wenn Sie sich in diesem Moment schlecht fühlen oder sich selbst belügen. Dann genieße lieber die kleine Sünde und sehe das Ganze als Ausnahme. Früher oder später sind die meisten herkömmlichen Süßigkeiten sowieso zu süß für Sie. Und wie Sie oben erfahren haben, können

Süßigkeiten ohne Zucker oder mit weniger Zucker auskommen und schmecken auch gut.

Das diabetische Kochbuch für Anfänger

50 einfache und gesunde Rezepte für Diabetikerdiäten für neu diagnostizierte Patienten

Martina Albrecht

EINFÜHRUNG

Sowohl die Behandlung als auch die Vorbeugung von Diabetes erfordern eine gesunde Ernährung und eine angemessene Ernährung. In Bezug auf die Ernährung bei Diabetes gab es einen sehr strengen Ansatz in Bezug auf Kohlenhydrate, da der Ausschluss von Lebensmitteln, die Zucker enthielten, aus der Ernährung erforderlich war. Es wurde kürzlich nicht festgestellt, dass ein mäßiger Einschluss von Zucker in Mahlzeiten die Stoffwechselkontrolle verschlechtert. Das Wichtigste ist, regelmäßig zu essen und sich ausgewogen zu ernähren.

Eine richtige Ernährung ermöglicht eine bessere Blutzuckerkontrolle. Dazu sind Grundkenntnisse in der Ernährung erforderlich, damit die Ernährung von Menschen mit Diabetes ausgewogen ist und alle lebenswichtigen Nährstoffe enthält.

Wenn Sie an Diabetes leiden, produziert oder verwendet Ihre Bauchspeicheldrüse Insulin nicht richtig. Infolge dieses Anstiegs kann der Blutzuckerspiegel ansteigen, was zu ähnlichen Symptomen wie bei Diabetes führen kann. Wenn Sie sich am besten fühlen möchten, sollten Sie Ihren Blutzucker auf einem gesunden Niveau halten. Dies ist ein wichtiger Aspekt bei der Behandlung von Diabetes, da die Kontrolle des Blutzuckers viele der Komplikationen von Diabetes verringern oder verhindern kann.

Mit einem Ernährungsberater können Sie einen individuellen Speiseplan erstellen, der am besten zu Ihnen passt. Teilen Sie uns auch Ihre anderen Gesundheitsprobleme mit, z. B. Ihr Gewicht, die eingenommenen Medikamente, Ihren Lebensstil und andere gesundheitliche Probleme.

KAPITEL EINS
Was ist Diabetes und welche Arten von Diabetes?

Wenn wir verstehen, wie der Körper mit Nährstoffen versorgt wird, können wir Diabetes als Krankheit besser verstehen. Alle verschiedenen Gewebe in Ihrem Körper bestehen aus Millionen von Zellen. Wenn alle diese Zellen zusammenkommen, verbessern sie zusammen die lebenswichtigen Funktionen unseres Körpers. So wie Maschinen Kraftstoff benötigen, brauchen Zellen Kraftstoff, um zu arbeiten. Pflanzen beziehen ihren Treibstoff aus dem Essen, das wir essen.

Nahrung gelangt über das Verdauungssystem, das aus Magen, Darm, Leber und Bauchspeicheldrüse besteht, in den Körper. Organismen haben die Funktion, Nahrung in ihre Grundbestandteile zu verdauen, die klein genug sind, um vom Verdauungstrakt vom Körper aufgenommen zu werden.

Während der Verdauung:

- Kohlenhydrate werden in Glukose umgewandelt
- Proteine werden in Aminosäuren umgewandelt
- Fette werden in Fettsäuren umgewandelt

Die Nahrung, die wir essen, wird im Magen und im Darm abgebaut, und diese drei Vitamine gelangen in unseren Blutkreislauf und werden in unserem Körper verteilt. Da Glukose nach einer Mahlzeit die primäre Energiequelle ist, gelangt viel Glukose in den Blutkreislauf. Dies sorgt für einen gesunden Schub im Körper und versorgt die Zellen bei jedem Schritt mit Nährstoffen.

Für Diabetiker sind Glukosespiegel (Glukosespiegel) am wichtigsten. Glukose oder Blutzucker ist ein sehr einfacher Zucker, den der Körper benötigt, um richtig zu arbeiten. Die Hauptquelle für die Energie der Blutzellen ist Glukose. Außerdem sterben Zellen ab, wenn bestimmte Proteine nicht vorhanden sind. Wenn Zellen etwas vermissen, hört ihre Funktion auf.

Leider können sie selbst keine Glukose herstellen. Sie brauchen dafür mehr Hilfe. Zu diesem Zeitpunkt übernimmt die Insulinproduktion. Hormone sind Substanzen, die von den endokrinen Drüsen wie der Bauchspeicheldrüse gebildet werden. Insulin aktiviert seine Zellen, indem es wie ein Schlüssel funktioniert, der zunächst die Zellverschlüsse aufbricht, um Glukose in die Zellen zu lassen. Wenn kein Insulin in der Nähe ist, „nähern" sich die Zellen einem Schluck Zucker, den sie als schädlich empfinden.

Nach einer Mahlzeit erhöht der Körper seine Menge an "diätetischem" Insulin als Reaktion auf einen hohen Blutzuckerspiegel, senkt schnell den Blutzucker und schützt die Zellen. Aufgrund dieses Mangels an Glukoseproduktion, insbesondere durch die Leber, klagt der Patient über extreme Müdigkeit, Erschöpfung und Schwäche. Nachdem Insulin seine Aufgabe erfüllt hat, verwandelt es sich in eine Art Abfall und wird aus dem Körper ausgeschieden. Das Insulinsystem des Körpers arbeitet ständig daran, das zu erhalten, was es benötigt.

Da die Bauchspeicheldrüse bei Typ-1-Diabetes oder insulinabhängigem Diabetes mellitus kein Insulin produziert, sterben die Bauchspeicheldrüsenzellen normalerweise ab. Wenn wenig oder kein Insulin aus der Bauchspeicheldrüse kommt, ist der Blutzuckerspiegel hoch, die Zellen beginnen zu verhungern und der

Körper wird schließlich Diabetiker. Die einzige Behandlung für diesen Zustand besteht darin, dass jemand (ein Arzt) Insulin unter die Haut injiziert, das dann in den Blutkreislauf des Körpers gelangt. Bis jetzt ist es unmöglich, Insulin in einem solchen Partikel zu erzeugen, dass es oral eingenommen werden kann, da Magensaft Insulin abbaut, bevor Insulin in den Blutkreislauf gelangt.

Sobald sich Typ-II-Diabetes entwickelt hat, können Sie die Zellen in der Bauchspeicheldrüse, die Insulin produzieren, nicht mehr abtöten und haben trotzdem die Chance auf ein normales Leben. Während Transplantationen des Inselpatienten durchgeführt wurden, die konsistent Insulin produzieren, ist es immer noch experimentell, nur Pankreaszellen zu transplantieren, die konsistent Insulin produzieren. Daher müssen Diabetiker während ihres gesamten Lebens ein Insulinschema (wie einen Behandlungsplan) einhalten.

Obwohl die Ursachen und Symptome der Fehlfunktion der Bauchspeicheldrüse noch nicht gefunden wurden, ist nicht bekannt, warum einige diese Fehlfunktion entwickeln und andere sie nicht entwickeln. Während die Krankheit in einer Familie auftritt, resultiert sie normalerweise nicht aus genetischer Vererbung. Wenn Sie an Diabetes leiden oder Ihr Verwandter an Diabetes leidet, ist die Wahrscheinlichkeit höher, dass Sie auch an Typ-2-Diabetes leiden.

Typ 2 Diabetes

Obwohl nicht genau bekannt ist, was Typ-2-Diabetes auslöst, wird angenommen, dass Typ-2-Diabetes mehr mit Genetik als mit Umweltfaktoren zu tun hat. Es ist auch offensichtlich, dass es einen Zusammenhang zwischen dem Body Mass Index (BMI) und Typ-2-Diabetes gibt, aber es wird nicht entdeckt, dass der BMI diese Krankheit verursacht. Typ-2-Diabetes (oder Typ-2-Diabetes bei

Erwachsenen) betrifft etwa zehn Prozent der Allgemeinbevölkerung.

Alle Menschen mit Diabetes, unabhängig von ihrem Typ, produzieren zu Beginn der Krankheit immer noch Insulin. Einige (Patienten), die an dieser Krankheit leiden, produzieren trotz ihres Rückgangs der gesamten Insulinproduktion während der gesamten Behandlung weiterhin Insulin während ihres gesamten Lebens.

Angenommen, bei einem Patienten mit einer bestimmten Menge an vollständig sekretiertem Insulin liegt Diabetes mellitus vor. In diesem Fall sollte dies bei den anderen Ursachen und Mechanismen berücksichtigt werden, die zu einem sogenannten Diabetes mellitus führen können. Die drei Orte, an denen sich bestimmte Krankheiten manifestieren können, sind das Auge, das Gehirn und die Zunge.

Die Bauchspeicheldrüse, wie Sie vielleicht aus diesem alltäglichen urbanen Slang wissen, ist dieses lustige kleine Organ, das sowohl für Insuline als auch für die Dinge, die wir in unseren Körper einbauen, wie Glukose, als Allheilmittel dient, mit denen unser Körper umgehen soll.

Die Anzahl der Insulinrezeptoren auf der Zelloberfläche ist verringert oder es gibt Probleme mit der Struktur und Struktur dieser Rezeptoren, der Blutzucker kann nicht in die Zellen fließen und die Zellen können ihre Arbeit nicht richtig erledigen. Mit anderen Worten, der Schlüssel, der die Zelle öffnet, passt möglicherweise nicht in die Schlösser, sodass Glukose wahrscheinlich nicht in die Zelle gelangt. Der Prozess der Insulinresistenz kann auch als "Insulinunempfindlichkeit" bezeichnet werden.

Nachdem die Glukose über ein Transportsystem in die Zellen transportiert wurde, wird sie zum gewünschten Ort der Zellen transportiert. Ein Defekt im Insulin regulierenden System ist eine weitere mögliche Ursache für Insulinunempfindlichkeit.

Jeder der drei bekannten Mängel führt dazu, dass der Zuckergehalt zu hoch ist. Derzeit muss eine Reihe hochentwickelter Tests durchgeführt werden, um den Arzt bei der Entdeckung des jeweiligen Defekts zu unterstützen. Die Forscher werden eine Studie (und Studien) durchführen, um festzustellen, ob die Verwendung eines bestimmten Geräts (und bestimmter Geräte) Menschen mit Typ-2-Diabetes helfen kann. Infolgedessen kann Ihr Arzt nicht genau bestimmen, an welcher Art von Diabetes Sie leiden, da er nicht genau bestimmen kann, was ihn verursacht haben könnte.

Unabhängig davon, warum Ihre Störung verursacht wurde, müssen Sie die genaue Ursache nicht kennen. Da es die Behandlung für den Zustand Ihrer Wahl ist. Ziel der Diabetesbehandlung ist es, den Blutzuckerspiegel so nahe wie möglich am Normalwert zu halten und frei von lebensbedrohlichen diabetischen Symptomen zu sein.

Frühe Anzeichen und Symptome von Diabetes

Diabetes ist eine stille, langsame Krankheit, die man jahrelang bekommen kann. Dieser Anstieg der Glukose tritt aufgrund des Insulinspiegels im Blut auf. Dies kann passieren, weil der Körper nicht genug Insulin hat, um die Glukose zu verarbeiten. Ein weiterer Grund, warum es so schlimm ist, ist, dass Menschen Nikotin nur schwer aufnehmen können. Sie müssen die Symptome in den frühen Stadien des Diabetes bemerken, um ihn zu behandeln, bevor er weiter fortgeschritten ist.

Die Symptome der Patienten beginnen sich allmählich zu zeigen. Sie werden oft mit einigen der häufigsten Krankheiten verwechselt.

Es ist ein großes Problem, dass Menschen, die diesen Zustand haben. Wenn eine Krankheit fortschreitet und weitere Schäden verursacht, kann dies zu Problemen mit unseren lebenswichtigen Organen wie Nieren, Herz und Gehirn führen.

Einige Symptome scheinen normal zu sein. Es ist immer wichtig, auf eines dieser bestimmten Signale zu achten, die möglicherweise ausgehen.

Hier sind die Symptome, die im Frühstadium mit Diabetes zusammenhängen können. Diese Signale können von nun an berücksichtigt werden.

1. Ein Gefühl der Müdigkeit

Der Insulinmangel oder die Insulinresistenz bremsen die Zellen. Sie können nicht genug Glukose aufnehmen, um den Körper mit der Energie zu versorgen, die er zum Funktionieren benötigt.

Das Ergebnis ist ein starkes Gefühl körperlicher und geistiger Müdigkeit. Dies dauert oft bis die Person ruht.

Faktoren wie Übergewicht und Fettleibigkeit, Dehydration und ein Ungleichgewicht im Blutdruck verbergen sich ebenfalls hinter diesem Symptom.

2. Schlafstörungen

Eine schlechte Blutzuckerkontrolle wurde mit häufigen Schlafstörungen und häufiger Müdigkeit in Verbindung gebracht.

Menschen mit Typ-2-Diabetes haben oft Schwierigkeiten, einzuschlafen. Eine andere Möglichkeit ist, dass sie im Schlaf eine Art Unterbrechung erleben.

Wir müssen hier noch etwas anderes erwähnen. Sie sind auch einem höheren Risiko für diese Krankheit ausgesetzt, wenn Sie weniger als sechs Stunden pro Nacht schlafen.

3. Ein trockener Mund und Durst

Glukose ist einer der wichtigsten "Brennstoffe" unseres Körpers. Aber wenn es nicht richtig angewendet wird, ist es eine der Ursachen für Dehydration.

Dieser Zustand beeinflusst die Aktivität der Zellen im ganzen Körper. Es beeinflusst auch die Speichelproduktion und verursacht Trockenheit auf der Zunge und Durst.

4. Häufig urinieren

Zu viel Glukose im Blut lässt die Nieren zweimal arbeiten, um die Glukose aus dem Blut zu filtern. Da die Nieren überlastet sind, muss man öfter auf die Toilette gehen.

Dieser Inhaltsstoff verhindert, dass die Toxine richtig gefiltert werden. Außerdem stört es die Funktion des Harnsystems.

5. Harnwegsinfektionen

Ein weiteres häufiges Zeichen in den frühen Stadien von Diabetes sind langfristige und häufige Harnwegsinfektionen. Diese treten auf, weil der Anstieg der Glukose im Blut das Immunsystem schwächt.

Infolgedessen nimmt die Produktion von Antikörpern ab. Der Körper ist dann Angriffen durch Viren, Bakterien und Pilze ausgesetzt.

6. Wunden heilen langsam

Oberflächliche Wunden oder Hautgeschwüre brauchen zu lange, um zu heilen oder gar nicht zu heilen. Dies ist auch ein deutliches Zeichen dafür, dass sich im Blut Glukose ansammelt.

Daher sollten Diabetiker vorsichtig sein, wenn ihre Haut zerkratzt ist. Ohne die notwendigen Kontrollen kann es zu medizinischen Komplikationen kommen.

7. Fußprobleme

Die Füße sind ein Bereich des Körpers, in dem die frühen Stadien von Diabetes am offensichtlichsten sind. Oft gibt es Probleme mit der Durchblutung und der Flüssigkeitsretention.

Wenn Diabetes außer Kontrolle gerät, beschädigen die Füße manchmal die Nervenenden. Es kann dann ein taubes Gefühl und ein ständiges Gefühl wie Stifte und Nadeln geben.

8. Verschwommenes Sehen

Die Anreicherung von Glukose führt somit zu einer Dehydration des Körpers. Dies kann wiederum Sehstörungen verursachen.

Der Flüssigkeitstropfen wirkt sich auf die Augenlinsen aus. Dies wirkt sich auf ihre Konzentrationsfähigkeit aus, was sich in verschwommenem Sehen widerspiegelt.

9. Drang zu essen

Wenn die Glukose nicht richtig in die Zellen gelangt, sinkt der "Kraftstoffstand". Dies bedeutet, dass die Funktion aller Organe im Körper gestört ist.

Diese Situation verwirrt den Körper. Es sendet also Signale aus, um mehr Energiequellen über Lebensmittel zu verbrauchen.

Solange die Zuckeransammlung nicht unter Kontrolle ist, werden Sie unweigerlich den Drang verspüren, immer wieder zu essen.

10. Trockene Haut

Die Beobachtung des Hautzustands kann auch den Verdacht auf Diabetes aufkommen lassen. Denn bei diesen Patienten sehen wir oft einen gewissen Grad an Trockenheit. Dies ist auf Kreislaufprobleme und die damit einhergehende Dehydration zurückzuführen.

Natürlich müssen andere Faktoren berücksichtigt werden, um eine gute Entscheidung zu treffen. Da dieses Symptom auf viele andere Probleme zurückzuführen ist, muss die Diagnose sehr sorgfältig gestellt werden.

Risikofaktoren für die Entwicklung von Typ-2-Diabetes:
- Alter ≥ 45 Jahre

- Übergewicht und Adipositas (BMI ≥ 25 kg / m2)
- Familienanamnese von Diabetes (Eltern oder Geschwister mit Typ-2-Diabetes)
- Gewohnheitsmäßig geringe körperliche Aktivität
- Zuvor festgestellte beeinträchtigte Nüchternglykämie oder beeinträchtigte Glukosetoleranz
- Schwangerschaftsdiabetes oder großer Fötus
- Arterielle Hypertonie (BP ≥ 140/90 mm Hg)
- HDL-Cholesterin ≤ 0,9 mmol / l und / oder Triglyceridspiegel ≥ 2,82 mmol / l
- PCO-Syndrom
- Vorhandensein von Herz-Kreislauf-Erkrankungen

KAPITEL ZWEI
Diabetes: Lebensmittel erlaubt und vermieden

Als Person mit Diabetes hilft Ihre richtige Ernährung dabei, Ihren Blutzuckerspiegel zu kontrollieren und für den Körper eines Diabetikers konstant zu halten, um die Veränderungen zu verhindern, über die wir gesprochen haben: erhöhter Blutzucker und verringerter Blutzucker. (wenig Blutzucker).

Zunächst ist es sehr wichtig hervorzuheben, dass der Diabetiker zum Ernährungsberater gehen muss, um eine vollständige Ernährungsbewertung vorzunehmen, da jeder Einzelne einzigartig ist. Nur ein Fachmann kann beurteilen, welche Diät für seinen klinischen Zustand die beste ist.

Der Ernährungsberater erstellt ein Programm, das auf Ihren Bedürfnissen basiert und bewertet, welche Art von Diabetes Sie haben, wie weit Sie sind, welche Krankheiten Sie haben, wie alt Sie sind, wie Ihre Ernährung ist und welche spezifischen Nährstoffe Sie einnehmen müssen.

Im Folgenden sind einige allgemeine Empfehlungen und die in der Diabetesdiät zugelassenen und zu vermeidenden Lebensmittel aufgeführt, basierend auf den Arten der Manifestation der Krankheit:

Typ-2-Diabetes: Zulässige und vermiedene Lebensmittel

Lassen Sie uns zunächst über Typ-2-Diabetes sprechen, da dieser am häufigsten auftritt. Ungefähr 90% der Menschen mit Diabetes haben Typ 2. Es manifestiert sich häufiger bei Erwachsenen, es tritt fast immer als Folge von Übergewicht und schlechter Ernährung auf.

Es ist einfacher zu kontrollieren und verbessert sich viel durch Gewichtsverlust und regelmäßige körperliche Aktivität.

Lebensmittel erlaubt bei Typ-2-Diabetes

Lebensmittel, die nicht vermieden werden müssen und in der Typ-2-Diabetes-Diät zugelassen sind, sind reich an Ballaststoffen, Proteinen und guten Fetten, wie z.

- Vollkornprodukte: Vollkornmehl, Reis und Nudeln, Hafer, Popcorn;
- Hülsenfrüchte: Bohnen, Sojabohnen, Kichererbsen, Linsen, Erbsen;
- Gemüse im Allgemeinen, ausgenommen Kartoffeln, Süßkartoffeln, Maniok und Yamswurzeln, da es eine hohe Konzentration an Kohlenhydraten aufweist und in kleinen Portionen verzehrt werden sollte;
- Fleisch im Allgemeinen, Fisch, Huhn und Rindfleisch, vorzugsweise mager ohne Haut und sichtbare Fette. Vermeiden Sie verarbeitetes Fleisch wie Schinken, Putenbrust, Wurst, Wurst, Speck, Bologna und Salami.
- Früchte im Allgemeinen, solange jeweils 1 Einheit verbraucht wird;
- Gute Fette: Avocado, Kokosnuss, Olivenöl, Kokosöl und Butter;
- Ölsaaten: Kastanien, Erdnüsse, Haselnüsse, Walnüsse und Mandeln;
- Milch und Milchprodukte, wählen Sie Joghurt ohne Zuckerzusatz.

Es sei daran erinnert, dass Knollen wie Kartoffeln, Süßkartoffeln, Maniok und Yamswurzeln, obwohl sie gesunde Lebensmittel sind, in kleinen Mengen verzehrt werden sollten, da sie reich an Kohlenhydraten sind, die sich in Zucker verwandeln.

Typ 2 diabetische Früchte

Früchte haben natürlichen Zucker und müssen daher von Diabetikern in kleinen Mengen konsumiert werden. Der empfohlene Verzehr beträgt jeweils 1 Portion Obst, was auf vereinfachte Weise normalerweise in den folgenden Mengen funktioniert:

- 1 mittlere Einheit ganzer Früchte wie Apfel, Banane, Orange, Mandarine und Birne;
- 2 dünne Scheiben großer Früchte wie Wassermelone, Melone, Papaya und Ananas;
- 1 Handvoll kleiner Früchte, zum Beispiel etwa 8 Einheiten Trauben oder Kirschen;
- 1 Esslöffel getrocknete Früchte wie Rosinen, Pflaumen und Aprikosen.

Es ist auch wichtig, den Verzehr von Obst zusammen mit anderen kohlenhydratreichen Lebensmitteln wie Tapioka, weißem Reis, Brot und Süßigkeiten zu vermeiden.

Typ-1-Diabetes: Zulässige und vermiedene Lebensmittel

Typ-1-Diabetes ist schwerer und schwieriger zu kontrollieren als Typ-2-Diabetes. Es tritt normalerweise in der Kindheit auf und die Person ist immer verpflichtet, Insulin zu nehmen, um die Menge an Zucker zu regulieren, die im Blutkreislauf zirkuliert.

Da die Kontrolle schwieriger ist, sollte der Patient mit Typ-1-Diabetes immer vom Endokrinologen und Ernährungsberater begleitet werden. Die Kohlenhydratmenge in jeder Mahlzeit muss gut kontrolliert und zusammen mit der einzunehmenden Insulindosis angepasst werden.

Bei dieser Art von Diabetes muss der Patient die gleichen Lebensmittel wie Patienten mit Typ-2-Diabetes reduzieren. Dennoch müssen die Mengen der erlaubten Lebensmittel entsprechend der Vorgeschichte des Blutzucker- und Insulinkonsums reguliert werden.

Schwangerschaftsdiabetes: Zulässige und vermiedene Lebensmittel

Die Diät für Schwangerschaftsdiabetes ähnelt der Diät für gewöhnlichen Diabetes, dh es ist notwendig, Lebensmittel zu vermeiden, die Zucker und Weißmehl enthalten, wie Süßigkeiten, Brot, Kuchen, Snacks und Nudeln.

Aber seien Sie vorsichtig: Frauen mit Schwangerschaftsdiabetes müssen besonders vorsichtig sein, da die Komplikationen von Hyperglykämiekrisen (Anstieg des Blutzuckers) sehr schwerwiegend sein können, da sie die Entwicklung des Fötus beeinträchtigen können.

Wenn das Baby im Mutterleib großen Mengen an Glukose ausgesetzt ist, besteht ein höheres Risiko für Überwachsen (fetale Makrosomie) und folglich für traumatische Geburten, neonatale Hypoglykämie und Fettleibigkeit. Schwangerschaftsdiabetes ist auch ein wichtiger Risikofaktor für zukünftigen Typ-II-Diabetes mellitus.

Schwangerschaftsdiabetes: erlaubte Lebensmittel

Die schwangere Frau sollte kohlenhydratarme Lebensmittel wählen, die komplexe Kohlenhydrate enthalten, die als Vollwertkost bezeichnet werden. Siehe die vollständige Liste unten:

- Vollkornprodukte: brauner Reis, Schwarzbrot, Quinoa, Hafer, Linsen, Kichererbsen, Bohnen, Erbsen und Mais;
- Obst und Gemüse in kontrollierten Mengen;
- Fleisch im Allgemeinen, vorzugsweise fettarm;
- Frischer Fisch und in Olivenöl eingelegte Dosen wie Sardinen und Thunfisch;
- Ölsaaten: Kastanien, Erdnüsse, Walnüsse, Haselnüsse und Mandeln;
- Milch und Milchprodukte: Vollmilch, natürlicher Naturjoghurt, Käse;
- Natürliche Fette: Butter, Olivenöl, Kokosöl, Kokosnuss, Avocado;
- Samen: Chia, Leinsamen, Sesam, Kürbis, Sonnenblume.

Es ist erwähnenswert, dass auch Vollwertkost, Obst, Kartoffeln und Süßkartoffeln reich an Kohlenhydraten sind, weshalb sie in Maßen konsumiert werden sollten.

Schwangerschaftsdiabetes: Nahrungsmittel vermieden

Lebensmittel, die bei Schwangerschaftsdiabetes in der Ernährung vermieden werden sollten, sind solche mit Zucker und Weißmehl in ihrer Zusammensetzung. Wir können Folgendes erwähnen:

- Kuchen;
- Eis,
- Süßigkeiten im Allgemeinen;
- Bäckersalze von Coxinha, Risólis, Kibe, Bauru und usw.;
- Pizzas;

- Weiße Kuchen und Brot;
- Lebensmittel, die Maisstärke enthalten: Pudding, Brei usw.;
- Alle Produkte, die Melasse, Maissirup und Glukose enthalten, da sie Zucker ähnlich sind.
- Verarbeitetes Fleisch: Wurst, Wurst, Schinken und Bologna usw.;
- Gezuckerte Getränke: Kaffee, alkoholfreie Getränke, verarbeitete Säfte und gezuckerte Tees.

Bei Diabetes wie bei anderen Krankheiten gibt es Lebensmittel, die vermieden werden müssen, und andere, die erlaubt sind. Gleichzeitig gibt es viele andere Variablen, wie die Art des Diabetes, den Blutzuckerwert (Schweregrad der Erkrankung), die Nahrungspräferenzen, das Alter, die körperliche Aktivität und viele andere Faktoren, die möglicherweise stören. Das Lebensmittel, das immer ausgewählt werden sollte, ist die Ernährung eines Ernährungsarztes unter Verwendung seiner Anleitung, mit Rücksprache mit dem Arzt, wobei stets Änderungen an der Ernährung vorgenommen werden, wenn dies erforderlich ist.

Umgang mit Diabetes: Was Ihr Tagesablauf und Ihr Lebensstil mit Ihrem Blutzuckerspiegel tun.

Der Umgang mit Diabetes erfordert Bewusstsein. Erfahren Sie, wie Ihr Blutzucker steigt und fällt und wie Sie diese alltäglichen Faktoren kontrollieren können.

Um einen gesunden Blutzuckerspiegel aufrechtzuerhalten, ist es wichtig, im empfohlenen Bereich zu bleiben. Der Unterschied zwischen niedrigem und hohem Blutzucker wird als

"Zuckerabsturz" angezeigt. Aufgrund verschiedener Faktoren kann Ihr Blutzuckerspiegel beeinflusst werden.

- **Lebensmittel**

Eine gesunde Ernährung ist ein wichtiger Bestandteil eines gesunden Lebens. Sie müssen jedoch wissen, wie sich Lebensmittel auf Ihren Blutzuckerspiegel auswirken. Es ist nicht nur die Art der Lebensmittel, die Sie essen, sondern auch, wie viel und welche Arten von Lebensmitteln Sie essen.

Was zu tun ist:

Erfahren Sie mehr über Kohlenhydratzahlen und Portionsgrößen. Kohlenhydrate sind ein wesentlicher Bestandteil der Diabetes-Managementpläne. Kohlenhydrate haben den größten Einfluss auf den Blutzuckerspiegel. Wenn jemand Insulin verwendet, müssen Sie die Menge an Kohlenhydraten kennen, um die richtige Insulindosis zu erhalten.

Verstehen Sie die Portionsgrößen für jede Art von Essen. Sie sollten die Portionen der Lebensmittel aufschreiben, die Sie häufig essen. Die Verwendung eines Messbechers gewährleistet die richtige Portionsgröße und die genaue Anzahl der Kohlenhydrate.

Planen Sie Ihre Mahlzeiten gut. Sie können jeder Mahlzeit eine Mischung aus Stärke, Obst und Gemüse, Eiweiß und Fett hinzufügen. Beobachten Sie die Arten von Kohlenhydraten, die Sie essen.

Obst, Gemüse und Vollkornprodukte sind im Allgemeinen besser für Sie als andere Kohlenhydrate. Sie sind kohlenhydratarm und liefern Ballaststoffe, die den Blutzuckerspiegel stabilisieren. Sprechen Sie mit Ihrem Arzt, Ihrer Krankenschwester oder Ihrem

Ernährungsberater darüber, was Ihrer Meinung nach am besten für Sie ist.

Medikamente termingerecht einnehmen. Zu wenig zu essen, insbesondere wenn zu wenig gegessen wird, kann zu einem gefährlich niedrigen Blutzucker (Hypoglykämie) führen. Zu viel Nahrung kann Ihren Blutzuckerspiegel erhöhen (Hyperglykämie). Kommunizieren Sie mit Ihrem Diabetes-Gesundheitsteam über die Koordination von Medikamenten und Essenszeiten.

Versuchen Sie, Getränke ohne Zucker zu pflücken. Zucker neigen dazu, die Kalorien höher als alles andere zu machen. E-Zigaretten können einen schnellen Anstieg des Blutzuckers verursachen. Sie sollten sie daher vermeiden, es sei denn, Sie haben Diabetes.

Der Diabetiker wird einen niedrigen Blutzucker haben. Wenn der Blutzucker niedrig ist, kann ein Getränk oder eine Dose Soda, Fruchtpunsch oder andere süße Getränke zu einem hohen Blutzuckerspiegel führen, was zu Anfällen führen kann.

- **Übung**

Es gibt einen weiteren wichtigen Aspekt bei der Behandlung von Diabetes, ganz zu schweigen von Bewegung. Wenn Sie trainieren, verwenden Ihre Muskeln eine Chemikalie auf Zuckerbasis zur Energiegewinnung. Neben regelmäßiger körperlicher Aktivität wird auch die Effizienz des körpereigenen Insulins verbessert.

Wenn diese Faktoren vorhanden sind, kann der Glukosespiegel im Blut gesenkt werden. Je öfter Sie draußen herumlaufen, desto länger halten die Nachwirkungen an. Obwohl es keine Vorbeugung gegen Blutzucker gibt, können selbst milde Aktivitäten wie Hausarbeit, Gartenarbeit und langes Stehen hilfreich sein.

Was zu tun ist:

Holen Sie sich einen Physiotherapie-Behandlungsplan. Finden Sie heraus, welche Übung für Sie am besten geeignet ist. Eine der besten Möglichkeiten, gesundheitsbewusst zu werden, besteht darin, sich mindestens 150 Minuten lang pro Woche anstrengend zu bewegen. Es könnte eine gute Idee sein, jeden Tag ein Programm mit 30 Minuten mäßiger Aktivität zu starten.

Wenn Sie längere Zeit inaktiv waren, möchte Ihr Arzt möglicherweise Ihren gesamten körperlichen Zustand überwachen. Eine ausgewogene Mischung aus Aerobic und Krafttraining wird empfohlen.

Spazieren gehen. Trainiere zur richtigen Zeit. Frühstücken Sie, trinken Sie Kaffee und nehmen Sie Ihre Medikamente ein, bevor Sie trainieren.

Kennen Sie Ihre Ergebnisse. Lassen Sie sich von Ihrem Arzt sagen, wie viel Sie für Ihren Blutzuckerspiegel trainieren müssen.

Überprüfen Sie Ihren Blutzucker. Achten Sie darauf, Ihren Blutzuckerspiegel vor, während und nach dem Training zu überprüfen. In Kombination mit Aktivität können Sie den Blutzuckerspiegel bis zu einem Tag später senken. Achten Sie auf Warnsignale für einen niedrigen Blutzuckerspiegel wie Wackeln, Schwäche, Müdigkeit, Hunger, Benommenheit, Reizbarkeit, Angst oder Verwirrung.

Wenn Sie Insulin verwenden und Ihr Blutzuckerspiegel unter 90 mg / dl oder 5,0 mmol / l liegt, sollten Sie vor dem Training einen kleinen Snack zu sich nehmen, um einen niedrigen Blutzuckerspiegel zu vermeiden.

Halten Sie hydratisiert. Verbrauchen Sie während des Trainings viel Flüssigkeit, da Dehydration den Blutzuckerspiegel beeinflussen kann.

Entspannen. Halten Sie immer einen Snack und Glukosetabletten bereit, falls Ihr Blutzucker zu niedrig ist. Er trägt ein medizinisches Armband.

Ändern Sie den Behandlungsplan nach Bedarf. Wenn Sie Insulin verwenden, sollten Sie Ihre Dosis vor dem Training senken und Ihren Blutzucker nach mehrstündiger anstrengender Aktivität sorgfältig beobachten. Ihr Arzt kann Ihnen bei Änderungen Ihrer Medikamente helfen. Es wird auch empfohlen, Ihre Trainingsroutine bei Bedarf zu erhöhen.

- **Medikamente**

Insulin und andere Diabetes-Medikamente sollen den Blutzuckerspiegel senken, wenn Diät und Bewegung allein nicht ausreichen, um Diabetes zu kontrollieren. Wie gut diese Medikamente wirken, hängt jedoch vom Zeitpunkt und der Größe der Dosis ab. Arzneimittel, die Sie gegen andere Erkrankungen als Diabetes einnehmen, können auch Ihren Blutzuckerspiegel beeinflussen.

Was zu tun ist:

Insulin richtig lagern. Insulin, das nicht ordnungsgemäß gelagert wurde oder dessen Verfallsdatum abgelaufen ist, ist möglicherweise nicht wirksam. Insulin ist besonders empfindlich gegenüber extremen Temperaturen.

Melden Sie Probleme Ihrem Arzt. Wenn Ihre Diabetes-Medikamente Ihren Blutzucker zu niedrig oder konstant zu hoch senken, muss Ihre Dosis oder Ihr Zeitplan möglicherweise angepasst werden.

Seien Sie vorsichtig mit neuen Medikamenten. Wenn Sie die Einnahme eines rezeptfreien Arzneimittels in Betracht ziehen oder wenn Ihr Arzt ein neues Arzneimittel zur Behandlung einer anderen Erkrankung wie Bluthochdruck oder hohem Cholesterinspiegel verschreibt, fragen Sie Ihren Arzt oder Apotheker, ob dies den Glukosespiegel beeinflussen kann. im Blut.

Einige Ärzte schlagen ihren Patienten ein alternatives Medikament vor. Melden Sie Ihrem Arzt immer alle Arzneimittel, die Sie vergessen haben zu überprüfen, da es wichtig ist, keine Arzneimittel einzunehmen, die zu einem Anstieg Ihres Blutzuckerspiegels führen können.

- **Erkrankung**

Wenn Sie krank sind, produziert Ihr Körper stressbedingte Hormone, die Ihrem Körper bei der Bekämpfung von Krankheiten helfen, aber auch Ihren Blutzuckerspiegel erhöhen können. Veränderungen des Appetits und der normalen Aktivität können auch die Diabetes-Kontrolle erschweren.

Was zu tun ist:

Vorausplanen. Erstellen Sie einen Plan für den Fall, dass Sie einen Krankheitstag benötigen. Es ist eine Anleitung, um Ihren Blutzucker und Ihre Urinketone regelmäßig zu überprüfen und weitere Informationen zum Wechseln von Medikamenten zu erhalten.

Verwenden Sie Ihre Medikamente gegen Diabetes. Wenn die Person jedoch nicht in der Lage ist, das Essen zu essen, wenden Sie sich an Ihren Arzt. In einigen Situationen müssen Sie Ihre Insulindosis anpassen und vorübergehend wirkende Insulin- oder Diabetesmedikamente reduzieren oder abbrechen. Stoppen Sie in der Zwischenzeit nicht das langwirksame Insulin. Es ist wichtig und sehr wichtig, den Blutzuckerspiegel zu speichern und Ihren Blutzuckerspiegel in regelmäßigen Abständen von einem Blutzuckermedikament zu erfassen.

Halten Sie sich an Ihren Speiseplan. Eine gesunde Ernährung hilft dabei, Ihren Blutzuckerspiegel zu kontrollieren. Halten Sie einen Vorrat an leicht verdaulichen Lebensmitteln wie Gelatine, Crackern, Suppen und Apfelmus bereit.

Bleiben Sie hydratisiert, indem Sie viel Wasser oder kalorienfreie Flüssigkeiten wie Tee trinken. Wenn Sie Insulin einnehmen, benötigen Sie möglicherweise zuckerhaltige Getränke wie Saft oder ein Sportgetränk, um eine Hypoglykämie zu verhindern.

- **Alkohol**

Nach dem Konsum eines zuckerhaltigen Getränks setzt die Leber Zucker frei, um dem Abfall des Blutverhältnisses von Blutzucker zu Sauerstoff entgegenzuwirken. Wenn die Leber jedoch mit dem Metabolisieren von Alkohol beschäftigt ist, empfängt der Blutzuckerspiegel möglicherweise nicht das Signal, das er von der Leber benötigt. Alkohol kann auch nach gleichzeitiger Einnahme einen niedrigen Blutzuckerspiegel verursachen und bis zu 24 Stunden anhalten.

Was zu tun ist:

Sie benötigen eine ärztliche Genehmigung, um Alkohol zu trinken. Alkoholkonsum mit Diabetes kann Nerven und Augen schädigen. Mit gelegentlichen alkoholischen Getränken kann jedoch ein kontrollierter Blutzuckerspiegel aufrechterhalten werden.

Die Einnahme von zwei Getränken Alkohol pro Tag oder von nicht mehr als einem Getränk für Frauen über 65 oder Männer über 40 ist mäßig. Ein Getränk entspricht 12 Unzen Bier, was 5 Unzen Wein oder 1,5 Unzen destilliertem Alkohol entspricht.

Trinken Sie vor dem Essen keinen Alkohol auf nüchternen Magen. Wenn Sie Insulinmedikamente oder andere Diabetesmedikamente einnehmen, befolgen Sie die empfohlene Einnahme von Essen oder Trinken, um einen niedrigen Blutzuckerspiegel zu vermeiden.

Wählen Sie Ihre Getränke sorgfältig aus. Trockene Weine und Biere haben weniger Kalorien und Kohlenhydrate als andere alkoholische Getränke. Wenn Sie Mixgetränke, Diät-Limonaden, Diät-Tonic-Wasser, kohlensäurehaltiges Wasser oder Seltz-Wasser mögen, erhöhen diese Ihren Blutzuckerspiegel nicht.

Kalorien zählen. Denken Sie daran, Kalorien aus Alkohol in Ihre täglichen Kalorienberechnungen einzubeziehen. Sie sollten Ihren Arzt oder Ernährungsberater fragen, wie Sie alkoholische Getränke in Ihre tägliche Ernährung einmischen können.

Überprüfen Sie vor dem Schlafengehen Ihren Blutzuckerspiegel. Alkohol kann Ihren Blutzuckerspiegel für eine Weile senken, nachdem Sie mit dem Trinken aufgehört haben. Um eine Hypoglykämie zu vermeiden, sollten Sie vor dem Schlafengehen einen Snack einnehmen, wenn der Blutzucker zwischen 100 und 140 mg / dl (5,6 und 7,8 mmol / l) liegt.

- **Menstruation und Wechseljahre**

Änderungen des Hormonspiegels gegenüber der Woche vor und während der Menstruation können zu erheblichen Schwankungen des Blutzuckerspiegels führen.

Was zu tun ist:

Finden Sie Muster. Verfolgen Sie Ihren Blutzuckerspiegel von Monat zu Monat. Möglicherweise können Sie Ihren Menstruationszyklus vorhersagen.

Dieser Behandlungsplan ist nach Bedarf zu ändern. Ihr Arzt hat möglicherweise einige Vorschläge für Sie: Werden Sie aktiver, ändern Sie Ihre Ernährung oder nehmen Sie ein anderes Medikament ein.

Überprüfen Sie Ihren Blutzucker häufiger. Wenn Sie sich den Wechseljahren nähern oder die Wechseljahre durchlaufen haben, ist es wichtig, Ihren Blutzucker häufiger zu überprüfen. Wechseljahrsbeschwerden können manchmal mit niedrigen Blutzuckersymptomen verwechselt werden. Testen Sie daher die Glukose, bevor Sie die niedrige Glukose behandeln. das Blut.

Verhütungsmethoden sind für Frauen mit Diabetes sicher und wirksam. Orale Kontrazeptiva können bei einigen Frauen den Blutzuckerspiegel erhöhen.

- **Stress**

Wenn Sie ein stressiges Ereignis haben, kann Ihr Körper Hormone produzieren, die Ihren Blutzuckerspiegel erhöhen. Wenn Sie unter viel Stress stehen, ist es für Sie schwieriger, Insulininjektionen zu erhalten.

Was zu tun ist:

Versuchen Sie, Muster zu erkennen. Es ist wichtig, den Blutzuckerspiegel so nahe wie möglich zu halten, den Blutzuckerspiegel täglich zu überprüfen und gegebenenfalls anzupassen. Es scheint ein Muster zu geben.

Übernimm die Kontrolle zurück. Sobald Sie wissen, wie sich Stress auf Ihren Blutzucker auswirkt, können Sie ihn minimieren. Versuchen Sie, verschiedene Entspannungstechniken zu erlernen, Prioritäten zu setzen und Grenzen zu setzen. Halten Sie sich von Stresssituationen fern. Übung kann helfen, Stress abzubauen und den Blutzuckerspiegel zu erhöhen.

Hilfe suchen. Verwenden Sie Strategien, um mit Stress umzugehen. Das Gespräch mit einem Psychologen oder klinischen Sozialarbeiter kann helfen, Probleme zu identifizieren, zu lösen oder zu lernen, mit Stresssituationen umzugehen.

Wenn Sie Ihren Blutzuckerspiegel überwachen und überwachen, können Sie Änderungen besser antizipieren und einen entsprechenden Plan erstellen. Wenn Sie Probleme haben, Ihren Blutzucker zu kontrollieren, wenden Sie sich bitte an Ihr Diabetes-Team.

Wie man eine Diabetikerdiät plant

Es ist sehr wichtig, die plötzlichen Veränderungen zu minimieren, die auftreten können, wenn eine neue Diät eingenommen wird. Es wäre daher ratsam, diätetische Austauscher zu verwenden, die einen ähnlichen Kalorienwert wie die alte Diät ausgleichen. Bitte denken Sie daran, dass eine solche Entscheidung nur nach Rücksprache mit einem Arzt getroffen werden kann.

Patienten können ein Produkt aufgeben, wenn das Produkt eine große Anzahl von Kohlenhydraten, Zucker oder künstlichen Inhaltsstoffen enthält. Wenn Sie einfache Kohlenhydrate essen, versuchen Sie, komplexe Kohlenhydrate zu konsumieren. Diabetiker sollten darauf hingewiesen werden, diese einfachen zu essen. Komplexe werden sehr langsam absorbiert, aber sie sind nicht so gefährlich, wenn sie in einer angemessenen Menge konsumiert werden.

Die Ernährung für Diabetiker muss nicht langweilig sein, sondern muss Sie dazu bringen, sie als Ganzes zu betrachten. Sie müssen Lebensmittel aus den fünf Hauptnahrungsmittelgruppen einbeziehen: stärkehaltige Lebensmittel, Obst und Gemüse, Fleisch, Geflügel und Fisch.

Beispielmenüplan für Diabetiker

1 Tag einer Diabetikerdiät

- Frühstück: zwei Sandwiches mit Vollkornroggenbrot, dünn mit Butter (10 g) bestrichen, mit Lendenstück, z. B. Sopot (40 g), Salat (20 g) und Tomate (70 g), Orange (130 g), grünem Tee
- 2. Frühstück: Joghurt (150 g) kombiniert mit Haferflocken (50 g), Haselnüssen (20 g) und Pfirsich (100 g)
- Mittagessen: Dillsuppe (350 g), dann der in Folie gebackene Kabeljau mit Kräutern (180 g) mit braunem Reis (80 g), gekochtem Brokkoli (250 g), Olivenöl (10 g)
- Nachmittagstee: Tomatensaft (300 g)
- Abendessen: leichter Hüttenkäse (150 g), serviert mit Radieschen, Schnittlauch und Gurke.

2. Tag der Diabetikerdiät

- Frühstück: zwei Sandwiches Vollkornbrot (70 g), dünn mit Butter (10 g) bestrichen, für die Sie Putenschinken (40 g), Salat (20 g), Tomate (50 g), Pfeffer (80 g) verwenden können. mit Ausnahme dieser Nektarine (100 g) und des roten Tees

- 2. Frühstück: Himbeeren (150 g) mit Kefir (300 g) - es kann kombiniert werden
- Mittagessen: Tomatencremesuppe (350 g), dann mageres Kalbfleisch (150 g), gedünstet mit Sellerie (50 g), Chicorée (40 g), Paprika (80 g), Pilzen (60 g) und Tomaten (60 g) Olivenöl (10 g) plus zwei Salzkartoffeln (150 g)
- Nachmittagstee: Hüttenkäse mit Schnittlauch (200 g) und Mungobohnensprossen (20 g) plus Grapefruit (170 g)
- Abendessen: Omelett mit Spinat (160 g) und Knoblauch-Karotten-Apfelsalat (80 g)

3. Tag der Diabetikerdiät

- Frühstück: zwei Scheiben Pumpernickelbrot (90 g), mit Weißkäse (100 g), Radieschen (30 g) bestrichen, Sie können Getreidekaffee mit 1,5% Milch, Kiwi (100 g) trinken
- 2. Frühstück: Birne (100 g) mit 1,5% Joghurt (250 g) und Müsli (50 g)
- Mittagessen: roter Borschtsch (350 g), hautloses Hähnchenbrustfleisch (180 g), gedünstet mit Zucchini (100 g) und Tomaten (250 g), plus Olivenöl (10 g), Petersilie, Dill anstelle von Kartoffel-Buchweizengrütze (80 g) .
- Nachmittagstee: Gemüsesaft (300 g)
- Abendessen: Thunfisch in seiner Sauce (150 g), serviert mit Salat (40 g), Mais (30 g), Tomate (50 g)

4. Tag der Diabetikerdiät

- Frühstück: hart gekochtes Ei (100 g), ein überbackenes Brötchen mit Körnern (70 g), bestrichen mit Butter (10 g) sowie Radieschen (30 g), Gurke (50 g), Birne (150 g) und grüner Tee

- 2. Frühstück: Chinakohl, Pfeffer und Kleinsalzgurkensalat (120 g)
- Mittagessen: Pilzsuppe (350 g), dann Kabeljau-Fleischbällchen (120 g), serviert mit Gerstengrütze (80 g), Blumenkohl (80 g) und Gurkensalat mit Joghurt (60 g)
- Nachmittagstee: Hüttenkäse 3% (150 g) mit Sonnenblumenkernen (20 g), Kürbiskernen (20 g) und Nektarine (100 g)
- Abendessen: Behandlung (400 g), bestehend aus: Hühnerbrust (130 g), Pfeffer (45 g), Zucchini (45 g), Auberginen (45 g), Pilzen (45 g), Tomaten (45 g), Sellerie (45 g)

5. Tag der Diabetikerdiät

- Frühstück: zwei Sandwiches Vollkornbrot (60 g), serviert mit z. B. Bieluch (100 g), Gurke (40 g), Schnittlauch, Pfeffer (80 g) und einem Apfel (100 g)
- 2. Frühstück: Amerikanische Blaubeere (150 g) mit Joghurt (150 g)
- Mittagessen: Blumenkohlsuppe (350 g), dann Paprika gefüllt mit Paprika (400 g), Hühnerbrust (100 g), Pilzen (50 g), Zucchini (40 g), Zwiebel (20 g), Sellerie (50 g) plus Sauerkraut (120 g) und Olivenöl (15 g)
- Nachmittagstee: frischer Ananassalat (50 g), Wassermelone (50 g), Orange (50 g)

- Abendessen: Risotto mit Geflügelfleisch und Gemüse (200 g)

KAPITEL DREI
FAQ zur Diabetes-Diät

Wenn Sie mit Diabetes leben, müssen Sie Ihre Ernährung ändern, um den Glukosespiegel besser kontrollieren zu können. Manchmal können jedoch bei so vielen Optionen Zweifel auftauchen und bei der Auswahl einige Fehler machen. Hier sind einige häufig gestellte Fragen zum Essen bei Diabetes.

1. Sollten Menschen mit Diabetes nur leichte Produkte konsumieren?

Nicht unbedingt. Licht bedeutet nicht immer zuckerfrei. Es ist ein Begriff, der angibt, dass diese Produkte weniger Kalorien enthalten als das Referenzlebensmittel. Es können jedoch Produkte sein, die reich an Fett oder Natrium sind. Licht ist nicht gleichbedeutend mit frei oder gesund.

2. Sind leichte Produkte frei zu konsumieren?

Nein, wie gesagt, leichtes Essen ist nicht gleichbedeutend mit kostenlos. Es ist notwendig, die Nährwertinformationen des Produkts zu überprüfen, da einige fettarm sein können und nicht unbedingt Kalorien und Kohlenhydrate enthalten, die den Glukosespiegel erhöhen können.

3. Wie viele Liter Wasser soll ich wann trinken?

Es wird empfohlen, das Wasser den ganzen Tag über einzunehmen, nicht zu einer einzigen Tageszeit und vorzugsweise natürlich. Ideal ist es, kleine Schlucke zu trinken und 1500 ml bis 2000 ml über den Tag zu konsumieren, um die Flüssigkeitszufuhr und ein geeignetes Gewicht aufrechtzuerhalten.

4. Kann ich bei Diabetes Süßigkeiten und Desserts essen?

Wenn Sie an Diabetes leiden, müssen Sie Ihre Essgewohnheiten ändern, um eine bessere Glukosekontrolle zu erreichen. Denn mit Diabetes zu leben bedeutet nicht, dass Sie sich Süßigkeiten und Desserts komplett entziehen müssen. Sie können sie in geringerer Menge konsumieren, oder für Ihr Verlangen nach süßem Diabetes können Sie sich für zuckerfreie, fettfreie oder glutenfreie Optionen entscheiden. Eine andere Möglichkeit ist, sie zu Hause mit Früchten zuzubereiten. Solange es in Maßen und selten gemacht wird, wird es in Ordnung sein. Wir bieten kalorienarme Süß- und Dessertoptionen an, aber wir wiederholen viele davon auf einer "Moderations" -Skala.

5. Wenn ein Produkt "zuckerfrei" sagt, kann ich es frei konsumieren?

Selbst wenn ein Produkt "zuckerfrei" sagt, sollte es nicht frei konsumiert werden, wenn es Kalorien oder Kohlenhydrate zur Glukosekontrolle enthält.

Einige Produkte werden mit Fructose anstelle von Haushaltszucker gesüßt, Fructose ist jedoch wie Honig ein natürlicher Süßstoff. Sobald sie sich im Körper befinden, werden sie in Glukose umgewandelt und erhöhen daher wie Haushaltszucker die Glukose im Blut. Daher ist es sehr wichtig zu lesen, was dieses Produkt anstelle von Zucker enthält.

Es muss auch berücksichtigt werden, dass ein Produkt ohne Zucker hergestellt werden kann, aber es kann reich an Fett, Salz oder Protein sein.

6. Kann ich bei Diabetes Fruchtsäfte trinken?

Die Frucht ist ein empfohlenes und notwendiges Lebensmittel. Der beste Weg, die Ballaststoffe und Vitamine in den Früchten zu nutzen, besteht darin, sie zu verzehren, ohne sie zu verflüssigen. Wenn sie verflüssigt werden, besteht außerdem das Risiko, dass der Glukosespiegel schneller ansteigt, da Fruktose (der in Früchten enthaltene Zucker) schneller absorbiert wird. Dies erhöht den Blutzuckerspiegel) zusätzlich zu der Tatsache, dass beim Verflüssigen der Frucht die Faser, die sie beiträgt, verloren geht und einem Oxidationsprozess unterzogen wird. Daher ist es am besten, die gebissenen Früchte zu essen, nicht gemischt.

7. Senkt Haferflocken den Glukosespiegel?

Haferflocken enthalten eine gute Menge an Ballaststoffen, die dazu beitragen, dass der Zucker in Lebensmitteln nicht so schnell steigt, im Gegensatz zu Lebensmitteln, die keine Ballaststoffe enthalten. Hafer senkt jedoch nicht den Glukosespiegel, um als Ersatzbehandlung für Kontrolldiabetes verwendet zu werden.

8. Hilft der Kaktus bei der Kontrolle des Glukosespiegels?

Das Nopal enthält eine gute Menge an Ballaststoffen und andere großartige Eigenschaften, die es zu einem sehr wertvollen Lebensmittel machen. Im Falle von Diabetes hilft eine große Menge an Ballaststoffen, die Aufnahme von Zucker und Fetten zu verzögern, was zur Verbesserung des Spiegels von Ballaststoffen beiträgt Glukose beim Verzehr. Die Wirkung ist jedoch nicht langfristig, so dass sie wie Haferflocken als Ersatzbehandlung für die Diabetes-Kontrolle nicht empfohlen wird.

KAPITEL VIER
Diabetes-freundliche Rezepte

Zimtsterne (auch für Diabetiker geeignet)

Zutaten

- 200 g Mandeln (ungeschält, gerieben)
- 300 g Puderzucker
- 100 g Walnüsse (gerieben)
- 75 g Arancini (fein gehackt)
- 10 g Zimt
- 1 Stück Eiweiß

Für die Zitronenglasur:

- 200 g Puderzucker
- 1 Stück Eiweiß
- 2 EL Zitronensaft

Vorbereitung

1. Für die Zimtsterne alle Zutaten zu einer festen Masse kneten und ca. 5 mm dick.

2. Für die Zitronenglasur Puderzucker sieben, mit Eiweiß und Zitronensaft dick mischen und in einem Wasserbad etwas aufwärmen.
3. Den Teig mit Zitronenglasur bestreichen. Sterne mit einem Sternschneider (Durchmesser 6 cm) ausschneiden und auf ein mit Backpapier ausgelegtes Backblech legen.
4. Die Zimtsterne im auf 150 ° C vorgeheizten Backofen ca. 15 Minuten backen.

Buttermilchbrötchen

Zutaten
- 250 g Vollkornmehl
- 200 g Weizenmehl (fein)
- 1 Packung Germ
- 1 EL Salz
- 1 EL Kümmel
- 1/2 l Buttermilch
- Besprühen:
- 10 g Kümmel

Vorbereitung
1. Um den Teig für die Hamburgerbrötchen zu mischen, Mehl und zerkleinerten Weizen in eine Rührschüssel geben und mit der Hefe kombinieren. Nehmen Sie einen kleinen Topf und passen Sie einen dünnen Brunnen in die Mitte. Salz,

Samen und Buttermilch werden hinzugefügt. Dann kneten und 4 Minuten auf der höchsten Stufe einmassieren. Lassen Sie den Teig aufgehen und legen Sie ihn für ca. 40 Minuten an einen wärmeren Ort.

2. Den Teig nochmals gut kneten und in halbmondförmigen Stücken ausrollen. Lassen Sie den Brotteig noch 30 Minuten gehen. Putzen Sie Ihre Zähne mit warmem Wasser und bestreuen Sie sie mit Kümmel. Dann ist es besser, wenn wir sie im vorgeheizten Ofen bei 200 ° C etwa 50 bis 60 Minuten backen.

Steirischer Bauernsalat mit Schafskäse

Zutaten

- 100 g grüner Salat (Bummerl-Salat, Lollo Rosso usw.)
- 1 Gurke (klein)
- 1 Tomate
- 50 g Schafskäse
- 2 Teelöffel Kürbiskernöl
- 1 EL Weinessig
- 2 EL Kürbiskerne
- Petersilie (gehackt)
- Basilikum (gehackt)

- Salz-
- Pfeffer

Vorbereitung
1. Teilen Sie die gewaschenen Salate in mundgerechte Stücke. Die Gurke in ca. 3 cm lange Stücke schneiden und leicht salzen. Die Tomate waschen, in Scheiben schneiden und den Schafskäse in Würfel schneiden. Den Salat in eine Schüssel geben. Salz und Pfeffer.
2. Braten Sie die Kürbiskerne in einer beschichteten Pfanne ohne Fett, bis sie schön fest sind, und fügen Sie sie zusammen mit den Tomaten, Kräutern und Gurken hinzu.
3. Mit Weinessig und Kürbiskernöl marinieren und alles vorsichtig mischen.
4. Den Schafskäse über den Salat streuen.

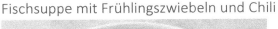

Fischsuppe mit Frühlingszwiebeln und Chili

Zutaten
- 600 g gemischte Fischfilets (Bachforelle, Forelle, Wolfsbarsch, Karpfen usw.)
- 1 Zucchini
- 2 Stäbchen Frühlingszwiebeln
- Jeweils 2 Schoten grüne und rote Chilis
- 1 Liter Wasser oder Fischbrühe

- 2 Knoblauchzehen
- 1 EL Paprikapulver
- Salz Pfeffer

Vorbereitung

1. Für die Fischsuppe die entbeinten Fischfilets in mundgerechte Stücke und die Zucchini in halbmondförmige Scheiben schneiden. 1 cm dick.
2. Frühlingszwiebeln und Chilischoten diagonal in 1 cm lange Stücke schneiden. Knoblauch fein hacken.
3. Wasser oder Fischbrühe in einem Topf zum Kochen bringen. Fisch, Zucchini, Chili und Zwiebeln dazugeben und ca. 3-4 Minuten zum Kochen bringen. Jetzt mit Knoblauch, Paprikapulver, Salz und Pfeffer würzen.
4. Gießen Sie die heiße Fischsuppe in vorgeheizte Schalen und servieren Sie sie.

Hühnerbrust Diavolo

Zutaten

- 2 Stück Hähnchenbrust (je ca. 400 g, mit Haut)
- 1 Teelöffel Cayennepfeffer (oder 1Kl Peperoncino)
- 1 Prise Muskatnuss (frisch gerieben)
- 1 Prise Zimt
- 4 Knoblauchzehen
- 2 Zweige Rosmarin
- 4 EL Olivenöl
- Hühnersuppe (zum Aufgießen)
- Meersalz (aus der Mühle)

Vorbereitung

1. Mischen Sie Olivenöl, Meersalz, Cayennepfeffer, Muskatnuss und Zimt zu einer Marinade und bürsten Sie die Hähnchenbrust auf beiden Seiten.

2. Legen Sie die Hähnchenbrust mit der Haut nach unten in eine erhitzte Pfanne und braten Sie sie bei mittlerer Hitze, bis das Fleisch von unten (und damit durch) weiß wird.

3. Braten Sie die leicht gepressten Knoblauchzehen und Rosmarinzweige in derselben Pfanne, um den Geschmack zu verbessern. Sobald die Brüste fast vollständig gekocht sind, drehen Sie sie um und braten Sie weitere 1-2 Minuten.

4. Knoblauchzehen und Rosmarin entfernen. Brüste herausheben und halbieren. Gießen Sie etwas Hühnersuppe auf den Braten und lassen Sie ihn kurz einkochen. Legen Sie die Hähnchenbrust auf vorgewärmte Teller und gießen Sie die Soße darüber (gießen Sie sie niemals darüber), damit die Haut knusprig bleibt.

Zanderfilet mit Kohl und Rüben

Zutaten

- 600 g Zanderfilet (mit Haut)
- 200 g Kohlrabi
- 200 g Kohl (frisch)
- 2 EL Butter
- 60 ml Weißwein (trocken)
- 250 ml Gemüsebrühe
- 1 EL saure Sahne (bis zu 2)
- 1 Zweig Thymian
- Olivenöl (beste Qualität zum Braten)
- Salz-
- Pfeffer (aus der Mühle)
- Muskatnuss (gemahlen)
- Wasabipaste (oder Meerrettich)

- 1 Prise Kreuzkümmel (gemahlen)
- einige Zitronensäfte
- 2 EL Petersilie (frisch gehackt)

Vorbereitung

1. Für das Zanderfilet den Kohl fein reiben und den Kohlrabi in etwa 1/2 cm große Würfel schneiden. Butter in einem Topf schmelzen und Kohl mit Kohlrabi darin anbraten. Mit Weißwein ablöschen und die Gemüsebrühe einfüllen.
2. Mit Salz, Pfeffer und Muskatnuss würzen und ca. 5 Minuten köcheln lassen. Die saure Sahne einrühren und das Gemüse cremig rühren. Zum Schluss mit Kümmel und Zitronensaft würzen und warm halten.
3. Die sorgfältig entbeinten Zanderfilets in Stücke schneiden. Mit Salz und Pfeffer würzen und kräftig mit Wasabipaste einreiben.
4. Olivenöl in einer Pfanne erhitzen und die Filets mit der Haut nach unten kräftig braten. Den Kochrückstand wiederholt übergießen. Den Thymianzweig dazugeben und die Filets wenden.
5. Kohl und Rübengemüse auf vorgeheizten Tellern anrichten. Die Zanderfilets auf das Gemüse legen und mit frischer Petersilie bestreuen.

Gurkensalat

Zutaten

- 1 Gurke (groß oder 2 klein)
- Weißweinessig
- Pflanzenöl
- Salz-
- Pfeffer (aus der Mühle)
- Paprikapulver (edel süß, wie gewünscht)
- 1 Knoblauchzehe (n)

Vorbereitung

1. Die Gurken schälen und mit einer Gurkenscheibe fein schneiden.
2. Die Gurke salzen und 10-20 Minuten stehen lassen.
3. Dann drücke es gut aus.
4. Machen Sie eine Marinade aus Essig, Öl, zerkleinertem Knoblauch und Pfeffer, rühren Sie sie in die Gurke und servieren Sie sie mit Paprikapulver, wenn Sie möchten.

Weißer Spargel in Schinken gewickelt

Zutaten

- 12 Stick Spargel (weiß)
- 12 Scheiben Schinken (Ihrer Wahl)
- 8 Kirschtomaten
- 100 g Mozzarella
- Salz-
- Pfeffer
- Öl (nach Wahl)
- Salat (Ihrer Wahl, mariniert)

Vorbereitung

1. Den Spargel waschen und schälen, die unteren Holzteile abbrechen. Im Dampfgarer bei 100 ° C ca. 10-15 Minuten al dente kochen. Wenn Sie keinen Dampfgarer haben, bereiten Sie den Spargel auf traditionelle Weise zu.
2. In der Zwischenzeit den Salat Ihrer Wahl marinieren.
3. Die Tomaten blanchieren und in kleine Würfel schneiden. Schneiden Sie auch den Mozzarella in kleine Würfel.
4. Die gekochten Spargelstangen kurz abschrecken und mit einem Stück Schinken umwickeln.

5. Vor dem Servieren den marinierten Salat auf einen Teller legen, die Spargelstangen darauf legen und mit den Tomaten und Mozzarellawürfeln dekorieren.
6. Mit hochwertigem Öl Ihrer Wahl beträufeln und bei Bedarf mit Salz und Pfeffer bestreuen.

Rindfleisch-Carpaccio mit Senfsauce

Zutaten

- 70-100 g Rinderlungenbraten
- 1 EL Olivenöl
- 1 Teelöffel Dijon-Senf
- 1 Spritzer Zitronensaft
- Salz-
- Pfeffer
- Olivenöl (für die Folie nach Bedarf)
- Parmesan (jung, zum Schneiden)
- Rucolasalat (marinierter oder Frisée-Salat zum Garnieren)
- Für die Senfsauce:
- 1 EL Mayonnaise (leicht)
- 1 Teelöffel Dijon-Senf

Vorbereitung

1. Für das Rindfleisch-Carpaccio mit Senfsauce den Rinderlungenbraten fest in Folie einwickeln, leicht einfrieren und vor dem Servieren mit einem Slicer dünn schneiden. Das Olivenöl und den Dijon-Senf kreisförmig auf einem Teller verteilen. Mit Salz, frisch gemahlenem Pfeffer und einem Schuss Zitronensaft bestreuen oder beträufeln.

2. Dann die dünnen Filetscheiben dekorativ auf den gewürzten Gaumen legen. Für die Senfsauce die Mayonnaise mit dem Senf glatt rühren. In ein Steak (mit feiner Öffnung) aus Backpapier gießen und dekorativ auf das Carpaccio streuen. Den Parmesan in Scheiben schneiden. Mit mariniertem Rucola oder Frisée-Salat garnieren.

Gebratene Auberginen mit Feta-Aufstrich

Zutaten

- 1 Aubergine
- 2 EL Olivenöl
- Salz-
- Pfeffer

Für den Feta-Aufstrich:

- 250 g Schafskäse (griechisch)
- 7 EL Olivenöl
- 4 EL Kürbiskerne (geröstet, fein gehackt)

- 2 Zehen Knoblauch
- 5 EL Basilikum
- Salz-
- Pfeffer

Vorbereitung

1. Auberginen waschen und in Scheiben schneiden. Beidseitig in Olivenöl anbraten und mit Salz und Pfeffer würzen. Mit Feta-Aufstrich und grünem Salat servieren.

Feta-Aufstrich:

2. Den Schafskäse mit einer Gabel zerdrücken und Olivenöl glatt rühren. Kürbiskerne, Knoblauch und Basilikum fein hacken und untermischen. Mit Salz und Pfeffer abschmecken. Mit Basilikumblättern und gerösteten ganzen Kürbiskernen garnieren.

Asiatische Schinkencreme

Zutaten

- 100 g Mango
- 100 g Ananas
- 100 g Schinken (mager)
- 100 g Quark
- 1 Prise Currypulver
- Pfeffer

Vorbereitung

1. Für die asiatische Schinkencreme Schinken, Mango und Ananas in Würfel schneiden und in eine Schüssel geben.
2. Den Quark dazugeben und mit dem Stabmixer fein pürieren.
3. Die asiatische Schinkencreme mit Curry und Pfeffer würzen.

Blätterteigbrötchen mit Tomaten und Basilikum

Zutaten

- 200 g Blätterteig
- 200 g Tomaten (geschält, gewürfelt)
- 4 Tomaten (getrocknet)
- 1 Knoblauchzehe (n)
- 1 EL Olivenöl
- 1 EL Basilikum (gehackt)
- Salz-
- Pfeffer
- Tabasco

Vorbereitung

1. Für die Blätterteigbrötchen mit Tomaten und Basilikum den Knoblauch schälen und fein hacken und kurz in Olivenöl rösten. Fügen Sie die gewürfelten Tomaten hinzu, schneiden Sie die getrockneten Tomaten in kleine Stücke und rühren Sie sie ein. Fügen Sie das Basilikum hinzu, würzen Sie es mit Salz, Pfeffer und Tabasco und lassen Sie es abkühlen.
2. Den Blätterteig dünn ausrollen, die Füllung verteilen und aufrollen. In Stücke schneiden ca. 2 cm dick.
3. Auf ein mit Backpapier ausgelegtes Backblech legen und
4. Im auf 180 ° C vorgeheizten Backofen ca. 15 Minuten goldbraun backen.

Ziegentopf mit Aprikosenstücken bestrichen

Zutaten
- 1 Zwiebel (klein, rot)
- 5 Aprikosen (getrocknet)
- 2 EL Sonnenblumenkerne
- 250 g Ziegenquark
- 50 g Acidophilus-Milch
- 1 EL Akazienhonig
- Salz-

- Cayenne Pfeffer
- 2 EL Schnittlauch

Vorbereitung

1. Für den Ziegentopfaufstrich die Aprikosen in kleine Würfel schneiden, die Sonnenblumenkerne leicht anbraten.
2. Den Ziegenquark mit der Acidophilus-Milch und dem Akazienhonig glatt rühren, mit Salz und Cayennepfeffer würzen.
3. Die gehackten Zwiebeln, Aprikosenwürfel und den gehackten Schnittlauch unter die Mischung heben und abschmecken.
4. Den fertigen Ziegentopf in einen kleinen Topf geben und mit gehackten Sonnenblumenkernen bestreuen.

Muffins mit Parmesan und Basilikum

Zutaten

- 1 Stück Ei
- 75 g Vollkornmehl
- 1/2 Teelöffel Backpulver
- 200 g Hüttenkäse
- 4 EL Parmesan (gerieben)

- 2 EL frisches Basilikum (grob gehackt)
- 1 EL Margarine

Vorbereitung
1. Für die Muffins mit Parmesan und Basilikum alles vermischen und in 4 Muffinformen geben.
2. 20 Minuten bei 200 ° C backen.
3. Mit frischen, geschnittenen Früchten servieren.

Mexikanisches Maisbrot

Zutaten
- 2 rote Chilischoten
- 6 Jalapeños (Glas)
- 50 g Butter
- 200 g Vollkornmehl
- 1 Päckchen Backpulver
- Salz-
- 325 g Maiskörner
- 500 ml Buttermilch
- 50 g flüssiger Honig
- 2 Eier

- 1 EL Rapsöl

Vorbereitungsschritte

1. Die Chilischoten längs halbieren, die Kerne entfernen, waschen und hacken.
2. Jalapeños fein hacken. Die Butter schmelzen und etwas abkühlen lassen.
3. Mehl, Backpulver und 1 Teelöffel Salz in eine Schüssel sieben und mit den Maiskörnern mischen.
4. Mischen Sie Buttermilch, Honig, Eier und geschmolzene Butter zusammen.
5. Fügen Sie dem Mehl zusammen mit den Chilischoten und Jalapeños hinzu und rühren Sie alles zu einem glatten Teig.
6. Eine 30 cm lange Laibpfanne mit Öl bestreichen und den Teig hinzufügen. Im vorgeheizten Backofen im 2. Regal von unten auf einem Rost bei 180 °C (Heißluftofen: 160 °C, Gas: Stufe 2–3) 35–40 Minuten backen.
7. Lassen Sie das Maisbrot 10 Minuten in der Dose abkühlen, stellen Sie es dann auf einen Ofenrost und lassen Sie es vollständig abkühlen. Maisbrot schmeckt einfach mit Butter bestrichen, passt aber auch gut zu Chilischoten und Eintöpfen.

Kichererbsen-Spinat-Topf

Zutaten

- 350 g getrocknete Kichererbsen
- 300 g gefrorener Blattspinat
- 2 große Zwiebeln
- 2 Knoblauchzehen
- 6 reife Tomaten
- 2 Zweige Rosmarin
- 2 EL Olivenöl
- 1 EL Agavensirup
- 2 Lorbeerblätter
- 1 Prise Chilipulver
- Kreuzkümmel
- Salz-

Vorbereitung

1. Die Kichererbsen über Nacht in reichlich Wasser einweichen.
2. Gießen Sie am nächsten Tag das eingeweichte Wasser ab, bringen Sie die Kichererbsen in doppelter Menge Wasser zum Kochen und köcheln Sie bei schwacher Hitze etwa 35 Minuten lang, bis sie weich sind.
3. In der Zwischenzeit den Spinat auftauen lassen.

4. Zwiebeln schälen, halbieren und in kleine Würfel schneiden. Knoblauch schälen und hacken. Tomaten mit kochendem Wasser anbrühen, in kaltem Wasser abspülen, schälen, halbieren, entkernen und würfeln. Rosmarin waschen, trocken schütteln und Nadeln zupfen.
5. Die Kichererbsen abtropfen lassen und die Flüssigkeit auffangen.
6. Öl und Agavensirup in einem großen Topf erhitzen. Dämpfen Sie die Zwiebeln und den Knoblauch darin bei mittlerer Hitze, bis sie durchscheinend sind. Fügen Sie die Kichererbsen nach Bedarf mit etwas Flüssigkeit, Rosmarin, Lorbeerblättern, Chilipulver und Kreuzkümmel hinzu und lassen Sie sie 15 Minuten bei schwacher Hitze köcheln.
7. Tomaten und Spinat dazugeben und weitere 15 Minuten köcheln lassen. Mit Salz abschmecken und servieren.

Sellerie-Apfelsalat

Zutaten

- 1 Selleriewurzel
- 2 kleine boskop Äpfel
- 2 EL Zitronensaft
- 1 TL Apfelessig
- 1 TL Walnussöl
- 2 EL Mandelflocken

- 2 Zweige
- Petersilie

Vorbereitung

1. Den Apfel waschen, halbieren, den Kern entfernen. Den Sellerie schälen, harte Stellen entfernen, beide grob reiben. Zitronensaft mit Essig und Öl mischen, unter den Salat mischen.

2. Die Mandeln in einer Pfanne ohne Fett anbraten, darüber streuen. Die Petersilienblätter fein zupfen und ebenfalls darüber streuen.

KAPITEL FÜNF
Backen für Diabetiker

Feiner Schokoladenkuchen mit Mürbeteig

Zutaten

- 185 g Vollkorn-Dinkelmehl
- 25 g Kakaopulver stark entölt
- 1 Prise Salz
- 35 g Rohrohrzucker
- 110 g Butter
- 1 Eis
- Hülsenfrucht zum Blindbacken
- 350 g dunkle Schokolade 70% Kakaogehalt
- 175 ml Schlagsahne
- 2 Eigelb (e)
- fleur de sel zum bestreuen

Vorbereitungsschritte

1. Mehl mischen und Kakaopulver, Salz und Zucker hinzufügen. Fügen Sie 90 g Butter und ein mittelgroßes Ei

hinzu und machen Sie mit Ihren Händen einen glatten cremigen Teig. Mit der Plastikfolie 30 Minuten abdecken.

2. Rollen Sie Ihren Teig auf einer bemehlten Oberfläche aus und legen Sie bei Bedarf ein Stück Butter in die Pfanne. Halten Sie die Hülsenfrüchte mehrmals mit einer Gabel unter den Boden, bedecken Sie sie mit Backpapier und legen Sie die Enden nach unten, um einen Kojoten im Hülsenfruchtstil zu erhalten. Schalten Sie beim Backen einen vorgeheizten leichten Ofen auf eine Heißluftofentemperatur ein oder es wurde ein Gasstand von 25 bis 30 Minuten bei hoher Temperatur im Ofen für knuspriges Brot ermittelt. Nehmen Sie es als nächstes heraus, entfernen Sie das Papier und die Erdnüsse vorsichtig und lassen Sie es abkühlen.

3. Während Sie warten, hacken Sie die Schokolade grob und schmelzen Sie sie über einem heißen Wasserbad. Nehmen Sie 2 Esslöffel heraus, legen Sie sie auf den Boden und verteilen Sie sie gleichmäßig mit einem Pinsel. Für die Apfelsauce ca. 15 Minuten in den Kühlschrank stellen.

4. Fügen Sie die Creme zusätzlich zum kleineren Schokoriegel zum größeren Schokoriegel hinzu. Zuerst das Eigelb nacheinander hinzufügen und dann umrühren. Fügen Sie die restlichen Butterstücke hinzu und rühren Sie weiter. Streuen Sie die medizinische Creme über den ganzen Boden und lassen Sie sie mindestens zwei Stunden lang ruhen.

5. Zum Servieren mit feinstem Meersalz bestreuen.

Quark-Nussbrot

Zutaten

- 110 g Olivenöl für die Tontöpfe
- 300 g Vollkorn-Dinkelmehl
- 300 g Vollkornroggenmehl
- ¼ TL gemahlener Anis
- ¼ TL Fenchelpulver
- ¼ TL gemahlene Kümmel
- ¼ TL gemahlener Koriander
- 2 TL Backpulver
- 250 g fettarmer Quark
- 180 ml Milch (3,5% Fett)
- 2 Eier
- 1 EL Salz
- 80 g gehackte Walnusskerne

Vorbereitungsschritte

1. Sieben Sie beide Mehlsorten mit einer Mischung aus Backpulver und Gewürzen in eine Schüssel. Sobald Sie der Mischung Quark hinzugefügt haben, fügen Sie 150 ml Milch, Eier und 100 ml Öl und Salz hinzu. Kombinieren Sie alle Zutaten mit dem Handmixer, z. B. einem Küchenhelfer-

Mixer, zu einem Teig. Wenn Mehl nicht ausreicht, etwas mehr Mehl hinzufügen.

2. Legen Sie die Walnüsse auf ein Stück bemehltes Pergamentpapier und kneten Sie sie im Teig. Teilen Sie den Teig für maximale Knusprigkeit in Drittel. Formen Sie den Teig zu Kugeln und formen Sie den Teig mit gefetteten Händen zu Kugeln. Tragen Sie die Sahne auf den Rest der Milch auf. Stellen Sie in einem gut gewürzten Gusseisentopf etwas Wasser auf den Boden und stellen Sie es in einen vorgeheizten Ofen mit Konvektion und Gas auf Stufe 3. Nach kurzer Zeit drehen Sie die Hitze herunter und setzen Sie das Backen etwas länger fort, um sicherzustellen, dass es vorhanden ist genug Feuchtigkeit im Fleisch.

3. Nehmen Sie den Kuchen nach dem Backen aus dem Ofen und lassen Sie ihn kurz abkühlen.

Low Carb Haselnuss Makronen

Zutaten

- 3 Eier
- 1 TL Zitronensaft
- 100 g feines Birkenzuckerpulver (Xylit)
- ½ Vanilleschote
- 250 g gemahlene Haselnusskerne
- ½ TL Zimt

Vorbereitungsschritte

1. Eier trennen (sonst Eigelb verwenden). Das Eiweiß mit Zitronensaft in einer Schüssel mit dem Schneebesen des Handmixers schaumig schlagen, nach und nach Xylit einfüllen und die Mischung schlagen, bis sie einen Punkt hat.
2. Die Vanilleschote längs halbieren und das Fruchtfleisch mit einem Messer herauskratzen. Die Haselnüsse mit Vanillepulpe und Zimt mischen und unter die Schlagsahne heben.
3. Gießen Sie die Mischung in einen Spritzbeutel mit einer großen perforierten Düse und spritzen Sie kleine Punkte auf ein mit Backpapier ausgelegtes Backblech. Im vorgeheizten Backofen bei 160 ° C (Konvektion 140 ° C; Gas: Einstellung 1–2) 15–20 Minuten backen.
4. Entfernen, mit dem Backpapier vom Backblech nehmen und abkühlen lassen.

Vollkorn Dinkel Hefe Zopf

Zutaten

- ½ Würfelhefe
- 300 ml Milch (1,5% Fett)
- 3 EL Honig
- 1 Ei
- 1 Prise Salz
- 550 g Vollkorn-Dinkelmehl
- 50 g Butter bei Raumtemperatur

Vorbereitungsschritte

1. Die Hefe in der Milch auflösen. Honig, Ei und Salz einrühren.
2. Mehl einrühren. Arbeiten Sie in Butter und fügen Sie bei Bedarf etwas mehr Mehl oder Milch hinzu.
3. Den Teig 10 Minuten lang kneten und wieder in die Schüssel geben. Dann abdecken und an einem warmen und zugfreien Ort ca. 45 Minuten bis zur doppelten Größe.
4. Den Teig wieder gut kneten, in 3 gleiche Stücke teilen und die Stücke zu etwa 50 cm langen Rollen formen. Verwenden Sie es, um ein Geflecht auf einer leicht bemehlten Arbeitsfläche zu machen. Drücken Sie die Enden gut zusammen.

5. Vollkornhefe geflochten auf ein mit Backpapier ausgelegtes Backblech legen und abdecken und an einem warmen, zugfreien Ort weitere Minuten gehen lassen.

6. Stellen Sie einen ofenfesten Behälter mit kochendem Wasser auf den Boden des Ofens und backen Sie den Vollkorn-Dinkelhefezopf in einem vorgeheizten Ofen bei 180 ° C (obere / untere Hitze) etwa 40 Minuten lang. Nach ca. 20 Minuten mit einem Stück Backpapier abdecken, damit es nicht zu dunkel wird.

- Ciabatta klebt an Oliven

Zutaten
- 125 g grüne Oliven (ohne Steine)
- 125 g schwarze Oliven (ohne Steine)
- 150 g sonnengetrocknete Tomaten
- ½ Würfelhefe
- 520 g Vollkorn-Dinkelmehl
- ½ TL Salz
- 1 TL Honig
- 3 EL Olivenöl

Vorbereitungsschritte

1. Oliven und sonnengetrocknete Tomaten hacken. Die Hefe in 350 ml lauwarmem Wasser auflösen.

2. Die gelöste Hefe, 500 g Mehl, Salz und Honig mit dem Teighaken eines Handmixers zu einem glatten Teig verarbeiten. 2 Esslöffel Olivenöl einrühren, dann die Oliven und Tomaten unterheben.

3. Schütteln Sie die Schüssel mit dem Teig darin aus, gießen Sie Öl in die Schüssel und mischen Sie die beiden, lassen Sie den Teig in der Schüssel aufgehen und legen Sie ihn zum Backen wieder in den Ofen.

4. Den Teig großzügig mit sehr feinem Mehl auf eine gut bemehlte Arbeitsfläche streuen und den Teig zu einer Scheibe formen. Weiche die Bohnen anderthalb Stunden lang ein, lege sie dann in eine Schüssel, drücke das zusätzliche Wasser mit deinen Händen heraus und hacke sie fein, ohne sie zu kneten, so dass sie einen Durchmesser von ungefähr 1/4 Zoll haben. Legen Sie die rechteckigen Stücke auf ein mit Backpapier ausgelegtes Backblech und lassen Sie zwischen jedem vertikalen Stück genügend Platz. Legen Sie den Stein zum Backen tief in eine Pfanne über einer heißen Flamme in einen vorgeheizten Ofen von 200 ° C (Konvektion 180 ° C; Gas: Stufe 3).

Shortbread Kekse mit Schokolade

Zutaten

- 220 g Butter
- 10 ml Kandisin (flüssig)
- 1 EL Kakaopulver (ungesüßt)
- 1 Vanilleschote
- 1 Stück Ei
- 300 g Mehl
- 200 g Diabetiker-Couverture
- 150 g diabetische Aprikosenmarmelade (oder andere Füllungen)

Vorbereitung

1. Für die Shortbread-Kekse mit Schokolade die Butter mit Kandiszucker, Vanillepulpe und Kakaopulver schaumig rühren, das Ei hinzufügen und das Mehl unterheben.
2. Gießen Sie die Mischung in einen Spritzbeutel mit einer perforierten Düse und kleiden Sie sie auf ein gefettetes, bemehltes Tablett und backen Sie sie bei 180 ° C goldgelb.
3. Mit Aprikosenmarmelade zusammenstellen und mit Couverture dekorieren.

Ziegenkäse-Omelett mit Basilikum

Zutaten

- 4 Eier)
- Salz-
- Pfeffer
- 200 g Käse (Ziegenkäse)
- 2 EL Basilikum (grob gehackt)
- 60 g Butter

Vorbereitung

1. Für das Ziegenkäse-Omelett die Eier in einer Schüssel schlagen, mit Salz und Pfeffer würzen und alles gut verquirlen. Den Ziegenkäse in Würfel schneiden und mit den Eiern zusammen mit dem frisch gehackten Basilikum mischen.

2. Die Hälfte der Butter in einer Pfanne erhitzen, die Hälfte der Eimischung einfüllen und die Pfanne schwenken, damit die Mischung gleichmäßig verteilt wird. Reduzieren Sie die Hitze ein wenig. Lassen Sie das Omelett langsam aushärten, falten Sie es in der Mitte und ordnen Sie es auf einem vorgeheizten Teller an.

3. Bereiten Sie das zweite Ziegenkäse-Omelett auf die gleiche Weise zu und servieren Sie es.

Zimtsterne mit Schokolade

Zutaten

- 75 g Butter
- 190 g Mehl
- 2 Stück Eier
- 1 EL Kandiszucker (flüssig)
- Zimt
- 1 Eigelb
- 200 g Johannisbeermarmelade (angespannt)
- 200 g diabetische Schokolade

Vorbereitung

1. Für die Zimtsterne die Butter mit Mehl und den 2 Eiern zu einem glatten Teig verarbeiten. Mit KANDISIN Flüssigkeit und Zimt würzen. 1 Stunde im Kühlschrank ruhen lassen.

2. Dann den 3 mm dicken Teig ausrollen, Kekse mit einem Sternschneider ausschneiden und mit Eigelb bestreichen. Auf einem gefetteten Blech bei 200 ° C ca. 10 Minuten goldgelb backen. Die Hälfte der Sterne mit Marmelade bestreichen und zusammenfügen.

3. Tauchen Sie die Hälfte der Zimtsterne in diabetische Schokolade.

Erdnussschokoladenpastillen

Zutaten

- 1 Mürbeteig (Keksteig nach Grundrezept)
- 50 g Erdnusskern (geröstet und gesalzen)
- 100 g dunkle Schokoladenkuvertüre
- 50 g Erdnussbutter (knusprig)
- grobes Meersalz

Vorbereitung

1. Zuerst müssen Sie das Grundrezept befolgen, um den Teig zuzubereiten. Suchen Sie unter der Registerkarte "Rezept" oder finden Sie den Link zum Rezept für "Keksteig" auf der Registerkarte "Produktempfehlung".

2. Das Mürbteiggebäck ausrollen und die Diamanten mit einem scharfen Messer schneiden. Legen Sie die Diamanten auf ein mit Backpapier ausgelegtes Backblech und backen Sie sie in einem auf 180 ° C vorgeheizten Ofen (Heißluftofen 160 ° C; Gas: Stufe 2–3) 10–12 Minuten lang goldbraun. Herausnehmen und abkühlen lassen.

3. Erdnüsse grob hacken. Die Kuvertüre grob hacken und über einem heißen Wasserbad schmelzen. Entfernen Sie die Hälfte der Kuvertüre und rühren Sie die Erdnüsse ein.

4. Setzen Sie zwei Diamanten mit einem Schuss Erdnuss-Couverture zusammen und lassen Sie die Erdnusskekse etwas abkühlen.

5. Dekorieren Sie die Diamanten mit einem Schuss Couverture und bestreuen Sie sie mit Erdnüssen und Salz. Die Erdnusskekse kühlen, bis die Kuvertüre ausgehärtet ist.

KAPITEL SECHS
Gemüserezepte für Diabetiker

Gurkensalat mit Öl-Essig-Dressing

Zutaten

- 1 mittelgroße Gurke ca. 750g
- 3 EL Olivenöl
- 2 EL Weißweinessig
- Salz-
- 1 TL Honig
- Pfeffer
- 1 mittelgroße Zwiebel
- ½ Bunddill

Vorbereitungsschritte

1. Waschen Sie die Gurke, reiben Sie sie trocken und schneiden oder schneiden Sie sie in dünne Scheiben.
2. Mischen Sie das Olivenöl mit Essig, Salz, Honig und Pfeffer.
3. Die Zwiebel in sehr kleine Stücke schneiden und in Würfel schneiden. Eine Zwiebel putzen und trocknen, hacken und in das Dressing legen. Wir sollten beide zum Salat geben und einrühren.

4. Die Gurkenscheiben müssen vor dem Servieren mit dem Dressing gemischt werden.

Fenchelsalat mit Grapefruit

Zutaten

- 4 Fenchelknollen
- 2 Grapefruit
- 4 EL Sesamöl
- 1 Prise Rohrohrzucker
- 2 EL Rotweinessig
- Salz-
- Pfeffer
- Chiliflocken
- 30 g Walnüsse

Vorbereitungsschritte

1. Den Fenchel gründlich waschen, halbieren, die Kartoffeln abtropfen lassen und das Fenchelgrün beiseite stellen. Den Fenchel in dünne Streifen schneiden oder in Scheiben schneiden und in eine Schüssel geben.

2. Die Grapefruit mit einem Messer gründlich schälen. Schneiden Sie die Pulpe zwischen den Trennmembranen aus; Die Filets in Stücke schneiden und beiseite stellen. Den Rest der Grapefruit auspressen und den Saft in den Fenchel geben.
3. Sesamöl, Rohzucker und Rotweinessig in den Fenchel geben und mit Salz, Pfeffer und Chiliflocken würzen. Alles kräftig mit den Händen kneten. Grapefruit hinzufügen und 10 Minuten ziehen lassen.
4. In der Zwischenzeit Walnüsse in einer Pfanne ohne Fett bei mittlerer Hitze rösten, entfernen und grob hacken. Auch die Fenchelgrüns grob hacken.
5. Füllen Sie den Fenchelsalat in vier Schalen und gießen Sie das Fenchelgrün und die Walnüsse darüber.

Tomatensuppe nach italienischer Art

Zutaten

- 400 g Tomaten (5 Tomaten)
- ½ Zwiebel
- 1 Knoblauchzehe
- 2 EL Olivenöl
- 1 TL Oregano

- 100 ml Gemüsebrühe
- 1 TL Tomatenmark
- 1 Lorbeerblatt
- Salz-
- Pfeffer
- 2 Stängel Basilikum
- ½ TL Balsamico-Essig

Vorbereitungsschritte

1. Tomaten mit heißem Wasser anbrühen, mit kaltem Wasser abspülen, schälen, halbieren und das Fruchtfleisch in Würfel schneiden.

2. Zwiebel und Knoblauch schälen und fein hacken. 1 Esslöffel Öl in einem Topf erhitzen. Zwiebeln und Knoblauch glasig dünsten. Oregano hinzufügen. Tomaten und Tomatenmark einrühren. Gießen Sie die Gemüsebrühe hinein und fügen Sie das Lorbeerblatt, Salz und Pfeffer hinzu. Die Suppe zum Kochen bringen und abgedeckt ca. 5 Minuten köcheln lassen.

3. Basilikum waschen und trocken schütteln. Schneiden Sie die Blätter in feine Streifen.

4. Das Lorbeerblatt entfernen, die Suppe mit einem Stabmixer pürieren und mit Balsamico-Essig würzen. Das gehackte Basilikum darüber streuen und eine Portion untermischen. Den Rest des Olivenöls auf die Suppe träufeln und sofort servieren.

Salat mit farbigen Tomaten

Zutaten

- 250 g gemischter Salat (zB Lollo Rosso, junge Spinat- und Mangoldblätter, Rucola, Kapuzinerkresse)
- 400 g gemischte Kirschtomaten (rot, orange, gelb und grün)
- 4 EL Olivenöl
- 2 EL weißer Balsamico-Essig
- Salz-
- Pfeffer

Vorbereitungsschritte

1. Salat sortieren, waschen, reinigen und trocken schleudern. Tomaten waschen, abtropfen lassen und nach Wunsch halbieren oder vierteln.
2. Den Salat mit den Tomaten mischen und in einer Schüssel anrichten. Für eine Vinaigrette Öl, Essig, Salz und Pfeffer einrühren, mit dem Salat bestreuen und servieren

Zutaten

- 500 g Zucchini
- 2 Avocados
- 2 EL Limettensaft
- 5 Tomaten
- 10 g Dill (0,5 Bündel)
- 4 EL Olivenöl
- 3 EL Reisessig
- 2 EL Sojasauce
- Salz-
- Pfeffer
- 1 Prise Chilipulver
- 3 EL schwarzer Sesam
- 1 Bio-Kalk

Vorbereitungsschritte

1. Zucchini waschen und reinigen. Mit einem Spiralschneider in feine Spaghettistreifen schneiden. Die Avocados halbieren, entkernen und schälen und das Fruchtfleisch ca. 2 cm. Mit Limettensaft beträufeln. Die Tomaten waschen, halbieren und den Stiel ausschneiden. Entfernen Sie die Pips und würfeln Sie das Fruchtfleisch. Dill waschen und

trocken schütteln. Tipps zupfen und fein hacken. Mischen Sie die Zucchini-Spaghetti mit den Avocado-Würfeln, Tomaten und Dill. Mischen Sie das Öl, Essig und Sojasauce mit dem Gemüse. Mit Salz, Pfeffer und Chili abschmecken.

2. Die Zucchini-Spaghetti auf 4 Teller verteilen und mit Sesam bestreuen. Den Kalk mit heißem Wasser waschen, trocken tupfen und in Keile schneiden. Mit Zucchini-Spaghetti garnieren.

Grüner Kraftsalat

Zutaten

- 2 Kohlrabi mit zarten Blättern
- 1 Brokkoli
- 5 EL Olivenöl
- 30 g Kürbiskerne (2 EL)
- Salz-
- Pfeffer
- 1 Zweig Thymian
- 1 Zitrone (Saft)
- 1 TL grober Senf
- 1 TL Honig
- 15 g Kapern (1 EL; Glas)

Vorbereitungsschritte

1. Den Kohlrabi putzen, waschen, schälen und in dünne Scheiben schneiden. Waschen Sie die Kohlrabi-Blätter, entfernen Sie die dicken Blattadern und schneiden Sie die Blätter in Streifen. Brokkoli putzen und waschen, den Stiel abschneiden, schälen und in dünne Scheiben schneiden, den restlichen Brokkoli in kleine Röschen schneiden.

2. In einer Pfanne ca. 1/4 Tasse Öl erhitzen. Bringen Sie einen Topf mit gehacktem Brokkoli zum Kochen und schmoren Sie die Teile einige Minuten lang. Den Kürbiskern, den Kohlrabi und die Zwiebel in den Topf geben und weitere drei Minuten rühren. Mit diesen Gewürzen der Reihe nach würzen. Bringen Sie die Burger auf den Teller und legen Sie die Kohlrab-Scheiben darauf.

3. Nehmen Sie für das Dressing den Thymian und waschen Sie ihn gut, trocknen Sie ihn dann ab und nehmen Sie die Blätter ab. Das restliche Olivenöl mit Zitronensaft, Senf, Honig, Thymian und etwas Gewürz (Salz und Pfeffer) auffüllen. Gehackte Kapern in die Schüssel geben. Die Zutaten zusammen streuen und umrühren, dann mischen.

Paprika mit Hüttenkäse

Zutaten

- 50 g rote Zwiebeln (1 rote Zwiebel)
- ½ kleine Zitrone (Saft)
- 150 g körniger Frischkäse (0,8% Fett)
- 150 g fettarmer Quark
- ½ TL mildes Currypulver
- Salz-
- 1 Prise Cayennepfeffer
- 300 g kleiner gelber Pfeffer (2 kleine gelbe Paprika)
- 300 g kleine rote Paprika (2 kleine rote Paprika)
- 4 Stängel Dill
- 20 g Pinienkerne (1 gehäufter Esslöffel)

Vorbereitungsschritte

1. Zwiebeln schälen und in feine Stücke schneiden. Zitronensaft mit Frischkäse, fettarmem Quark und 3-4 Esslöffeln Wasser in einer Schüssel glatt rühren. Zwiebel untermischen. Mit Curry, Salz und Cayennepfeffer abschmecken.

2. Paprika halbieren, entkernen und waschen. Dill waschen, trocken schütteln und hacken. Die Pinienkerne bei mittlerer Hitze fettfrei in einer Pfanne rösten.

3. Füllen Sie die Pfefferhälften mit der Hüttenkäsemischung und servieren Sie sie mit Dill und Pinienkernen.

Sommerwurstsalat

Zutaten

- 100 g Schinken (oder feine Extrawurst)
- 3 EL Weißweinessig
- 3 EL Olivenöl
- Rettich
- Frühlingszwiebeln (nach Geschmack)
- Eichenblattsalat (nach Geschmack)
- 1/2 Zwiebel (rot)
- Salz-
- Pfeffer (aus der Mühle)
- Kräuter (gehackt, zum Garnieren)

Vorbereitung
1. Für einen Sommerwurstsalat etwa ein Drittel der Wurstscheiben in Streifen schneiden. Die restlichen Wurstscheiben auf einen Teller legen. Mischen Sie eine Marinade mit Essig, Salz, frisch gemahlenem Pfeffer und

Olivenöl. (Wenn der Essig zu sauer ist, süßen Sie ihn mit etwas Zucker, obwohl die Marinade etwas saurer sein sollte.) Reinigen Sie den Eichenblattsalat, schneiden Sie die Radieschen und Frühlingszwiebeln in feine Scheiben.

2. Alles mit einem Teil der Marinade mischen und auf den Wurstscheiben anrichten. Die restliche Marinade über die Wurst verteilen. Wurststreifen über den Salat streuen. Mit frisch gemahlenem Pfeffer bestreuen. Die rote Zwiebel in dünne Scheiben schneiden und den Wurstsalat damit garnieren. Mit gehackten Kräutern dekorieren.

Bärlauch-Avocado-Salat

Zutaten

- 40 g Bärlauch
- 200 g frischer Ziegenkäse
- 2 EL Schlagsahne
- 1 PC Avocado
- 1 Teelöffel Zitronensaft
- 1 EL Olivenöl
- Salz-
- Pfeffer (schwarz)
- Löwenzahnblätter (zum Bestreuen)

Vorbereitung

1. Für den Bärlauch-Avocado-Salat den Bärlauch waschen, trocknen und fein hacken. Ziegenfrischkäse und Schlagsahne mit dem Mixer glatt rühren. Bärlauch einrühren und mit Salz und Pfeffer würzen. Die Avocado längs halbieren, in Keile schneiden und auf Tellern anrichten. Mit dem Zitronensaft bestreichen.

2. Gießen Sie die Käsemischung in einen Spritzbeutel und kleiden Sie die Rosetten auf die Avocado-Scheiben und beträufeln Sie sie mit Olivenöl.

3. Die Löwenzahnblüten pflücken und über den Bärlauch-Avocado-Salat streuen.

Gemüsespaghetti

Zutaten

- 320 g Spaghetti (Vollkorn)
- 100 g Pilze

- 1 Stück Zwiebel
- 1 Stück Zucchini (grün und gelb)
- 1 Aubergine (klein)
- 3 Zehen Knoblauch
- 1/4 l Tomaten (abgesiebt)
- Basilikum
- 2 EL Olivenöl
- 1 Stück Gemüsesuppenwürfel
- Cayenne Pfeffer
- Salz-
- Pfeffer

Vorbereitung

1. Für die Gemüsespaghetti die Spaghetti al dente kochen. Die Pilze putzen und in kleine Stücke schneiden. Zucchini und Aubergine in kleine Würfel schneiden.
2. Die Zwiebel in Olivenöl anschwitzen, den Knoblauch und das Gemüse hinzufügen, die Tomaten und den Cayennepfeffer unterrühren. Mit Salz, Pfeffer und gewürfelter Gemüsesuppe würzen. 10 Minuten köcheln lassen.
3. Die Spaghetti mit dem Gemüseragout mischen und erhitzen.
4. Mit Basilikum bestreut servieren.

Zutaten

- 500 g kleine Rote Beete
- 500 g kleine gelbe Rüben
- 250 g Babykarotten
- Meersalz
- Pfeffer
- 120 ml Olivenöl
- 4 Welsfilets (je ca. 200 g)
- 2 Handvoll Petersilie
- 1 Knoblauchzehe
- 1 EL Mandelkerne (geschält)
- 1 TL Zitronensaft
- 1 Orange

Vorbereitungsschritte

1. Rote Beete, gelbe Rote Beete und Karotten reinigen (nach Wunsch schälen), die Karotten längs halbieren oder vierteln und die Rote Beete in Keile schneiden. Rote Beete und gelbe Rüben auf einem Backblech verteilen, mit Salz und Pfeffer würzen und mit 2 EL Öl beträufeln.

2. Im vorgeheizten Backofen bei 200 ° C (Konvektion 180 ° C; Gas: Stufe 3) ca. 30 Minuten backen. Gelegentlich wenden und die letzten 10 Minuten Karotten hinzufügen.

3. In der Zwischenzeit den Fisch waschen, trocken tupfen, mit Salz und Pfeffer würzen und in 2 Esslöffeln Öl auf beiden Seiten 3–4 Minuten in einer heißen, beschichteten Pfanne goldbraun braten.

4. Für das Pesto die Petersilie waschen, trocken schütteln und die Blätter zupfen. Knoblauch schälen und mit Petersilie, Mandeln und restlichem Öl fein pürieren. Mit Zitronensaft, Salz und Pfeffer würzen.

5. Die Orange gründlich schälen und in Scheiben schneiden. Mit Gemüse und Fisch auf Tellern anrichten und mit Pesto beträufelt servieren.

Zitronensohlenfilet mit Kirschtomaten

Zutaten

- 600 g bunte Kirschtomaten
- 2 Knoblauchzehen
- 10 Perlzwiebeln

- 1 Handvoll Thymian
- 4 Zweige Rosmarin
- 8 rote Zungenfilets (je ca. 60 g)
- 3 EL flüssige Butter
- Salz-
- Pfeffer aus der Mühle
- 3 Prise zerstoßener Oregano

Vorbereitungsschritte
1. Kirschtomaten waschen und halbieren. Knoblauch und Perlzwiebeln schälen. Die Kräuter waschen, trocken schütteln und die Zweige halbieren.
2. Die Sohlenfilets waschen, mit Küchenpapier trocken tupfen und in die Auflaufform legen. Mit der geschmolzenen Butter bestreichen, mit Knoblauch, Perlzwiebeln und Tomaten bestreuen. Alles mit Salz, Pfeffer und Oregano würzen.
3. Rotzfilets in einem vorgeheizten Ofen bei 200 ° C (Konvektion 180 ° C; Gas: Stufe 3) ca. 15 Minuten kochen und heiß servieren.

Rosenkohl und Rindfleischpfanne

Zutaten

- 600 g Rosenkohl
- Salz-

- 1 Baguette
- 2 Knoblauchzehen
- 50 g weiche Butter
- 1 EL frisch gehackte Petersilie
- 200 g Cocktailtomaten
- 1 Zwiebel
- 600 g Rindfleisch zb Lende oder Hüfte
- 2 EL Pflanzenöl
- Pfeffer aus der Mühle

Vorbereitungsschritte

1. Den Backofen auf 180 ° C vorheizen.
2. Reinigen Sie den Rosenkohl und kochen Sie ihn etwa 10 Minuten lang in Salzwasser. Lassen Sie ihn dann abtropfen und lassen Sie ihn gut abtropfen.
3. Baguette diagonal schneiden, aber nicht durchschneiden. Knoblauch schälen, 1 Nelke auspressen, mit Butter und Petersilie umrühren und mit Salz abschmecken. Verteilen Sie die Knoblauchbutter in den Einschnitten und backen Sie sie im Ofen auf dem Rost etwa 5 Minuten lang.
4. Tomaten waschen und halbieren. Die Zwiebel schälen und zusammen mit der anderen Knoblauchzehe fein würfeln. Das Fleisch abspülen und in Streifen schneiden. Die Zwiebel kurz mit dem Knoblauch in heißem Öl in einer großen Pfanne anschwitzen. Fügen Sie das Fleisch hinzu und braten Sie es 3-4 Minuten lang an. Mit Salz und Pfeffer würzen. Rosenkohl und Tomaten unterheben, heiß werden lassen, abschmecken und mit dem Knoblauchbaguette servieren.

- Avocado-Orangen-Salat

Zutaten

- 2 Stück Orange
- 1 Stck. Avocado (reif, ohne dunkle Flecken)
- 1 Teelöffel Zitronensaft
- 1/2 Stck. Zwiebel (n) (rot)
- 2 EL Olivenöl (für die Marinade)
- 1 EL Balsamico-Essig (weiß)
- 1 EL Joghurt
- Kopfsalat (und / oder Kräuter nach Belieben)
- Olivenöl (zum Nieseln)
- Salz-
- Pfeffer (aus der Mühle)

Vorbereitung

1. Für den Avocado-Orangen-Salat die Orangen schälen und filetieren (in Filets trennen und die Haut abziehen).
2. Zwiebel in Ringe schneiden.
3. Die Avocado halbieren, den Stein entfernen, das Fruchtfleisch mit einem Kaffeelöffel entfernen und in Würfel schneiden.
4. Sofort mit Zitronensaft beträufeln, damit das Fruchtfleisch nicht braun wird.
5. Joghurt mit Olivenöl und Balsamico-Essig mischen.

6. Mit Salz und Pfeffer würzen und die Avocadowürfel damit marinieren.
7. Dann die Avocado auf den Tellern anrichten.
8. Gießen Sie den Salat und die Kräuter darauf. Die Orangenfilets und die Zwiebelringe dekorativ anordnen.
9. Mit etwas Olivenöl beträufeln und den Avocado-Orangen-Salat mit frisch gemahlenem Pfeffer bestreuen.

Ananas-Gurken-Salsa

Zutaten
- 1 frische Ananas
- 250 g Gurke (0,5 Gurken)
- 1 Frühlingszwiebeln
- 1 kleiner Chili-Pfeffer
- 3 EL Apfelessig
- 1 EL Honig
- Salz-

Vorbereitungsschritte
1. Ananasschale abziehen. Teilen Sie das Fruchtfleisch in 40 feine Stücke (10,5 Unzen), würfeln Sie es und geben Sie die Mischung in eine Schüssel.

2. Schneiden Sie die Gurke der Länge nach in zwei Hälften, entfernen Sie den Samen und entkernen Sie ihn mit einem Löffel. Auch die Ananasstücke fein würfeln und zerdrücken.

3. Frühlingszwiebeln reinigen und waschen und die Zwiebelringe in dünne Ringe schneiden. Darüber hinaus auch.

4. Schneiden Sie den Schnitt, die Hälfte und den Kernprozess ab und hacken Sie den Chilipfeffer fein. Beschwöre eine Lösung aus Honig und Salz in eine kleine Schüssel und mische sie dann mit Essig.

5. Gießen Sie das Dressing über die Ananas-Gurken-Mischung und lassen Sie die Mischung umrühren. 30 Minuten ziehen lassen, dann nochmals nach Belieben würzen.

Salatschüssel mit Wassermelone

Zutaten

- 100 g Rettich (1 Stück)
- Salz-
- 250 g gemischter Blattsalat
- 300 g Wassermelone (1 Stück)
- 1 gelber Pfeffer
- 30 g Ingwer (1 Stück)
- 1 Limette

- 1 EL Sojasauce
- 1 EL thailändische Fischsauce
- Pfeffer
- 3 EL Olivenöl
- 1 TL Sesamöl
- ½ Bund Koriander
- 150 g körniger Frischkäse (13% Fett)

Vorbereitungsschritte

1. Den Rettich schälen, reinigen und in feine Scheiben schneiden. Mit etwas Salz in eine Schüssel geben und 10 Minuten ziehen lassen.

2. In der Zwischenzeit die Salate reinigen, waschen und schleudern.

3. Die Wassermelone schälen und in 1 cm große Würfel schneiden, wobei die Steine weitgehend entfernt werden.

4. Die Paprika vierteln, reinigen, entkernen, waschen und in feine Streifen oder Würfel schneiden.

5. Für die Vinaigrette den Ingwer schälen und fein reiben. Drücken Sie die Limette. Mischen Sie den Ingwer, 2 EL Limettensaft, Sojasauce, Fischsauce, ein wenig Salz und Pfeffer. Halten Sie beide Öle zurück.

6. Den Rettich abtropfen lassen. Mit den anderen Zutaten und der Vinaigrette in einer Schüssel mischen. Den Koriander waschen, trocken schütteln, die Blätter zupfen und mit dem Frischkäse über den Salat verteilen.

Kräutertofu mit Tomaten

Zutaten

- 600 g Tofu
- 1 Stielbasilikum
- 3 EL Olivenöl
- 400 g Kirschtomaten
- 1 EL Zitronensaft
- Salz-
- Pfeffer

Vorbereitungsschritte

1. Den Tofu würfeln. Basilikum waschen, trocken schütteln, Blätter zupfen und fein hacken.
2. Basilikum und 2 Esslöffel Öl unter den Tofu mischen, abdecken und ca. 30 Minuten im Kühlschrank stehen lassen.
3. In der Zwischenzeit die Tomaten waschen und halbieren.
4. Das restliche Öl in einer Pfanne erhitzen und die Tomaten darin anbraten. Mit Zitronensaft ablöschen und 2-3 Minuten bei schwacher Hitze köcheln lassen.
5. Den Tofu 3-4 Minuten in einer anderen Pfanne goldbraun braten. Basilikumöl und Tofu zu den Tomaten geben, mit Salz und Pfeffer würzen.

KAPITEL SIEBEN
Diabetes Dinner Rezepte

Karotten-Pastinaken-Cremesuppe

Zutaten

- 10 g Ingwer (1 Stück)
- 500 g Karotten (4 Karotten)
- 400 g Pastinaken
- 1 EL Olivenöl
- 850 ml Gemüsebrühe
- 1 TL Kurkumapulver
- ½ TL gemahlener Koriander
- Jodsalz mit Fluorid
- Pfeffer
- 120 ml Mandelküche oder ein anderer Gemüsecremeersatz
- 30 g Haselnusskerne (2 EL)
- 10 g Petersilie (0,5 Bund)

Vorbereitungsschritte

1. Den Ingwer schälen und würfeln. Karotten und Pastinaken putzen, schälen und hacken.
2. Öl in einem Topf erhitzen. Den Ingwer und das Gemüse 3 Minuten bei mittlerer Hitze darin anbraten. Die Brühe einfüllen, mit Kurkuma, Koriander, Salz und Pfeffer würzen und bei schwacher Hitze 15 Minuten köcheln lassen. Dann mit einem Stabmixer pürieren. Mandelkuchen einrühren.
3. In der Zwischenzeit die Nüsse in einer heißen Pfanne ohne Fett bei mittlerer Hitze 3 Minuten lang rösten. dann grob hacken. Die Petersilie waschen, trocken schütteln und die Blätter hacken. Die Suppe in Schalen anrichten und mit Nüssen und Petersilie bestreut servieren.

Thailändischer Gurkensalat

Zutaten

- 1 EL Sojasauce
- 4 EL Reisessig
- 2 TL thailändische Fischsauce
- 2 TL Sesamöl
- 2 EL Rohrohrzucker
- 1 roter Pfeffer
- 1 kg Gurke (2 Gurken)
- Salz-

- ½ Bund Thai Basilikum
- 3 Stiele Minze
- 50 g gerösteter Erdnusskern

Vorbereitungsschritte

1. Sojasauce, Reisessig, Fischsauce, Sesamöl und Zucker in einer Schüssel mischen.
2. Den Pfeffer längs halbieren, den Kern entfernen, waschen und hacken. Zur Reisessigsauce geben.
3. Die Gurke waschen, längs halbieren und die Samen herauskratzen.
4. Die Gurke in dünne Halbmonde schneiden, leicht salzen und 10 Minuten in einem Sieb abtropfen lassen.
5. Die abgetropfte Gurke mit der Sauce mischen und 15 Minuten ziehen lassen (marinieren).
6. In der Zwischenzeit Basilikum und Minze waschen, trocken schütteln, Blätter zupfen und in feine Streifen schneiden.
7. Erdnüsse sehr fein hacken. Erdnüsse und Kräuter kurz vor dem Servieren unter den Gurkensalat heben.

Pellkartoffeln mit Hüttenkäse

Zutaten

- 1 kg Wachskartoffeln
- 1 EL Kümmel
- 500 g fettarmer Quark
- 125 ml Milch (1,5% Fett)
- Salz-
- ½ Bund Schnittlauch
- 4 EL Leinöl, z. Budwig Omega-3-Öle

Vorbereitungsschritte

1. Kartoffeln gründlich waschen. Die Kartoffeln und Kümmel in einen Topf geben, mit etwas Wasser bedecken und mit dem Kochen bedecken. Abdecken und bei mittlerer Hitze 20-25 Minuten kochen lassen.
2. In der Zwischenzeit Quark und Milch mischen und mit Salz abschmecken.
3. Schnittlauch waschen, trocken schütteln und in feine Rollen schneiden
4. Gießen Sie die Kartoffeln in ein Sieb, spülen Sie sie in kaltem Wasser ab und schälen Sie sie.
5. Die Pellkartoffeln mit Quark servieren. Die Schnittlauchrollen über den Quark streuen und mit dem Leinöl beträufeln.

Saubohnenkrapfen

Zutaten

- 200 g Saubohnen (gefroren; aufgetaut)
- 150 g Kichererbsen (Dose; abgelassenes Gewicht)
- 1 rote Chilischote
- 20 g Sojamehl (2 EL)
- 80 g Kichererbsenmehl
- 20 g Maisstärke (2 EL)
- Salz-
- 1 TL Advieh (iranische Gewürzmischung)
- ½ TL Kurkumapulver
- 2 Eier
- 250 ml Milch (3,5% Fett)
- 1 Knoblauchzehe
- 4 Stiele
- Dill
- 1 EL Olivenöl

Vorbereitungsschritte

1. Kochen Sie die Bohnen 4 Minuten lang in kochendem Wasser. dann abtropfen lassen, abschrecken, abtropfen lassen und bei Bedarf häuten. In der Zwischenzeit die Kichererbsen in einem Sieb abspülen und abtropfen lassen.

Chili-Pfeffer längs halbieren, Kern entfernen, waschen und hacken.

2. Mischen Sie das Sojamehl mit Kichererbsenmehl, Stärke, Salz, Advieh und Kurkuma. Eier mit Milch verquirlen und unter das Mehl rühren. Knoblauch schälen, hacken und hinzufügen. Den Dill waschen, trocken schütteln, hacken, hinzufügen und mit den Chilis mischen.

3. Das Öl in einer ofenfesten Pfanne erhitzen. Gießen Sie die Mischung ein, fügen Sie die Kichererbsen und Bohnen hinzu. Bei mittlerer Hitze 2 Minuten kochen lassen. Stellen Sie die Pfanne 20 Minuten lang in den vorgeheizten Ofen bei 200 ° C (Konvektion 180 ° C; Gas: Stufe 3), damit die Masse eingedickt und leicht gebräunt wird. Herausnehmen und in Stücke schneiden.

Feta-Wassermelonen-Salat mit Tomaten

Zutaten

- 200 g Kirschtomaten
- 200 g Gurke
- 1 grüner Pfeffer
- 250 g Wassermelone
- 200 g Schafskäse (45% Fett in Trockenmasse)
- 1 Zwiebel

- 6 Rettich
- 3 Stiele Minze
- ½ Zitrone
- 3 EL Olivenöl
- Salz-
- Pfeffer

Vorbereitungsschritte

1. Tomaten reinigen, waschen und halbieren. Reinigen und waschen Sie auch die Gurke, halbieren Sie sie in Längsrichtung und schneiden Sie sie in kleine Würfel. Paprika waschen, halbieren, entkernen und würfeln.

2. Die Melone halbieren und mit einem Parisienne (Kugelschneider) Kugeln aus dem Fruchtfleisch herausschneiden. Alternativ die Melone würfeln. Den Schafskäse würfeln, die Zwiebel schälen und in kleine Würfel schneiden. Radieschen reinigen und waschen und in dünne Scheiben schneiden. Die Minze abspülen, trocken schütteln und die Blätter abreißen.

3. Die Zitrone auspressen, etwa 2 Esslöffel Saft mit allen Salatzutaten und Öl mischen, mit Salz und Pfeffer würzen und in Schalen servieren.

Bunte Pizzasuppe

Zutaten

- 1 kleine Zwiebel
- 1 Knoblauchzehe
- 125 g Pilze
- 2 EL Olivenöl
- 125 g Rinderhackfleisch
- Salz-
- Pfeffer
- 1 TL getrockneter Oregano
- 250 g gesiebte Tomate (Glas)
- 300 ml Gemüsebrühe
- 50 g Frischkäse (2 EL; 45% Fett in der Trockenmasse)
- 1 gelber Pfeffer (150 g)
- 10 g Rakete (1 Handvoll)
- 20 g Parmesan in einem Stück (30% Fett in der Trockenmasse)

Vorbereitungsschritte

1. Zwiebel und Knoblauch schälen und hacken. Die Pilze putzen und vierteln.
2. 1 Esslöffel Öl in einem Topf erhitzen. Das Hackfleisch darin bei starker Hitze 3–4 Minuten braten. Zwiebel, Knoblauch

und Champignons dazugeben und bei mittlerer Hitze 5 Minuten braten. Mit Salz, Pfeffer und Oregano würzen.

3. Tomaten und Brühe einfüllen, Frischkäse einrühren und 10 Minuten köcheln lassen.

4. In der Zwischenzeit die Paprika waschen, halbieren, entkernen und in kleine Würfel schneiden. Die Rucola waschen, trocken schleudern, sehr fein hacken, mit dem restlichen Öl mischen und mit Salz und Pfeffer würzen. Parmesan in Scheiben schneiden.

5. Den gewürfelten Paprika in die Suppe geben und unterrühren. Die Pizzasuppe in eine Schüssel geben, mit Rucolaöl beträufeln und den Parmesan darüber gießen.

Gedämpftes Fischfilet

Zutaten

- 1 Schalotte
- 100 g kleine Fenchelknolle (1 kleine Fenchelknolle)
- 60 g kleine Karotten (1 kleine Karotte)
- 3 EL klassische Gemüsebrühe
- Salz-
- Pfeffer
- 70 g Pangasiusfilet (vorzugsweise Bio-Pangasius)
- 2 Stängel flache Petersilie

- ½ kleine Limette

Vorbereitungsschritte

1. Schalotten schälen und fein würfeln.
2. Fenchel und Karotte putzen und waschen, Karotte dünn schälen. Schneiden Sie beide Gemüse in schmale Stangen.
3. Die Brühe in einer beschichteten Pfanne erhitzen. Schalotte, Fenchel und Karotte dazugeben und ca. 3 Minuten kochen lassen. Mit Salz und Pfeffer abschmecken.
4. Das Fischfilet abspülen, trocken tupfen, leicht salzen und auf das Gemüse legen. Abdecken und bei schwacher Hitze 8-10 Minuten kochen lassen.
5. In der Zwischenzeit die Petersilie waschen, trocken schütteln, die Blätter zupfen und mit einem großen Messer fein hacken.
6. Eine halbe Limette auspressen und den Saft nach Belieben über den Fisch träufeln. Nach Belieben pfeffern, mit Petersilie bestreuen und servieren.

Kalte Gurkensuppe

Zutaten
- 1 Gurke
- etwas Knoblauch (zerkleinert)
- 3 EL Balsamico-Essig (weiß)
- etwas Dill (gehackt)

- 100 ml Rindfleischsuppe (kalt)
- 100 ml Buttermilch
- 250 g Joghurt
- Salz-
- Pfeffer
- Olivenöl

Vorbereitung

1. Gurke waschen und in große Stücke schneiden. Mit Salz, zerkleinertem Knoblauch und Balsamico-Essig einige Minuten marinieren.
2. Fügen Sie den Dill, die kalte Rindfleischsuppe, Buttermilch und Joghurt hinzu und pürieren Sie alles mit dem Stabmixer. Durch ein Sieb passieren.
3. Mit Salz und Pfeffer abschmecken. In gekühlte tiefe Teller füllen und bei Bedarf etwas Olivenöl darüber träufeln.

Buttermilch-Spinat-Suppe

Zutaten

- 300 g Kartoffeln (mehlig)
- 125 ml Gemüsesuppe
- 400 g Spinat
- 200 ml Buttermilch
- 3 EL Schlagsahne

- Salz-
- Pfeffer (schwarz)
- Muskatnuss, gerieben)
- 2 Scheiben Vollkornbrot

Vorbereitung

1. Kartoffeln schälen und würfeln. Den Spinat waschen und in große Stücke schneiden oder zupfen.
2. Die Gemüsesuppe zum Kochen bringen und die Kartoffeln darin weich kochen.
3. Fügen Sie den Spinat hinzu und lassen Sie ihn ziehen, bis er zusammenbricht.
4. Dann pürieren und Schlagsahne und Buttermilch hinzufügen. Würzen und aufwärmen, aber nicht zum Kochen bringen.
5. Das Vollkornbrot damit anrichten und servieren.

Buntes Gartengemüse

Zutaten
- 300 g Brokkoli
- 300 g Blumenkohl
- 300 g Karotten
- 300 g Rüben (gelb)
- 300 g Zucchini
- Salz-
- Butter (zum Pfannen)

Vorbereitung

1. Für buntes Gartengemüse Brokkoli und Blumenkohl putzen und in mundgerechte Röschen schneiden. Karotten, gelbe Rüben und Zucchini in Stangen schneiden. Kochen Sie das Gemüse in Salzwasser und fügen Sie die Zucchinisticks etwas später hinzu, da sie weniger Zeit zum Kochen benötigen.
2. Werfen Sie das bunte Gartengemüse in heiße Butter und würzen Sie es bei Bedarf mit Salz.

Zucchini Auflauf

Zutaten

- 1 kg Zucchini (klein)
- 200 g Schafskäse
- 4 Eier
- 2 EL Milch
- Salz (aus der Mühle)
- Pfeffer (aus der Mühle)
- 3 EL Olivenöl

Vorbereitung

1. Für den Zucchini-Auflauf die gut gewaschene Zucchini grob reiben und den geriebenen fest ausdrücken, bis die Mischung fast trocken ist.

2. Den Schafskäse zerbröckeln und mit der Zucchini mischen. Drei Eier mit dem Olivenöl verquirlen und in die Zucchinimischung einrühren. Mit frisch gemahlenem Salz und Pfeffer abschmecken.

3. Olivenöl auf einer Auflaufform verteilen und die Mischung einfüllen. Den Rest des Eies mit der Milch verquirlen und über die Mischung gießen.

4. Im auf 190 ° C vorgeheizten Backofen ca. 45 Minuten goldbraun backen.

5. Nehmen Sie den fertigen Zucchini-Auflauf aus der Tube und servieren Sie ihn.

Hühnersuppe

Zutaten

- 1/2 Suppe Huhn (geschnitten, mit Hühnern und Innereien)
- 150 g Wurzeln (gereinigt, in Scheiben oder Würfel geschnitten)
- 2 Lorbeerblätter
- 4 Pfefferkörner (4-5, weiß)
- 2 1/2 Liter Wasser
- Salz-
- Muskatnuss (gerieben, nach Geschmack)

Vorbereitung

1. Das gut gewaschene, geschnittene Suppenhuhn, das kleine Huhn und die Innereien kurz in heißem Wasser anbrühen und mit kaltem Wasser servieren.
2. Fügen Sie das Wurzelgemüse und die Gewürze hinzu und kochen Sie alles etwa 30 Minuten lang, bis es weich ist. Das Huhn und die Innereien abseihen, in kaltem Wasser abspülen, abziehen und in kleine Stücke schneiden.
3. Reduzieren Sie die Hühnersuppe auf ca. 1 Liter, wodurch die Suppe noch stärker wird. Mit Salz und Muskatnuss abschmecken.
4. Ordnen Sie die Hühnersuppe in heißen Platten und servieren Sie sie mit dem Huhn, wenn Sie möchten.

Zucchini-Käse-Gratin

Zutaten

- 600 g Zucchini
- 300 g Erbsen (gefroren)
- 150 g Emmentaler (gerieben)
- 2 EL Sesam
- Salz-
- Pfeffer
- Butter (für die Form)

Vorbereitung

1. Für den Zucchinikäsegratin den Backofen auf 200 ° C vorheizen.
2. Die Erbsen in Salzwasser weich kochen. Mit einem Stabmixer abseihen und pürieren. Salz und Pfeffer.
3. Die Zucchini waschen, in dünne Scheiben schneiden und 3 Minuten in Salzwasser kochen. Dann kalt auskühlen.
4. Butter auf einer Auflaufform verteilen. Legen Sie die Zucchinihälften mit der Schnittfläche nach oben nebeneinander und würzen Sie sie mit Salz. Das Erbsenpüree auf der Zucchini verteilen, mit dem geriebenen Käse bestreuen und 5 Minuten in einem heißen Ofen bei 200 ° C backen.
5. In der Zwischenzeit die Sesamkörner trocken (ohne Fett) in einer beschichteten Pfanne rösten und vor dem Servieren über den Zucchini-Käse-Gratin streuen.

Kalte Gurkensuppe mit Krebsen

Zutaten

*   2 Gurken (mittel)
*   500 ml saure Sahne (Joghurt oder Buttermilch)

- Salz-
- Pfeffer (weiß, aus der Mühle)
- Dill
- etwas Knoblauch

Für die Kaution:

- 12 Flusskrebsschwänze (bis zu 16, frei, angehoben)
- Gurkenwürfel
- Tomatenwürfel
- Dillzweige

Vorbereitung

1. Für die kalte Gurkensuppe mit Flusskrebsen die Krabben kochen und die Schwänze loslassen. Die Gurke schälen und entkernen und mit saurer Sahne (Joghurt oder Buttermilch) mischen. Mit Salz, Pfeffer, Dill und etwas Knoblauch würzen. In vorgekühlten Tellern anrichten, Gurken- und Tomatenwürfel sowie Krabbenschwänze legen und mit Dill garnieren.

Klare Fischsuppe mit gewürfeltem Gemüse

Zutaten

- 1 l Fischbrühe (klar, stark)
- 250 g Fischfiletstücke (bis zu 300 g, gemischt, ohne Knochen, Forellen usw.)
- 250 g Gemüse (gekocht, Blumenkohl, Lauch, Karotten usw.)

- Salz-
- etwas Pfeffer
- Safran
- etwas Wermut (möglicherweise trocken)
- 1 Zweig Dill
- Kerbel (oder Basilikum, um zu dekorieren)

Vorbereitung

1. Würzen Sie die fertige Fischbrühe mit Salz, Pfeffer und Safran, die in etwas Wasser eingeweicht sind, und würzen Sie sie mit einem Schuss Wermut. Das vorgekochte Gemüse in kleine Würfel schneiden und zusammen mit dem Fischfilet ca. 4-5 Minuten köcheln lassen. Schnell in Kochplatten anrichten und mit den frischen Kräutern garnieren.

KAPITEL ACHT
Diabetes-Frühstücksrezepte

Vanillegrießbrei

Zutaten

- 400 g rothäutige feste Äpfel (2 rothäutige feste Äpfel)
- 1 EL Honig
- 1 TL Zimt
- 1 Vanilleschote
- 400 ml Milch (1,5% Fett)
- 1 Prise Salz
- 50 g Vollkorngrieß
- 1 EL Rohrzucker
- 40 g Walnusskerne
- Zitronenmelisse (nach Geschmack)

Vorbereitungsschritte

1. Waschen, Achtel schneiden und Äpfel entkernen. Honig, 4 Esslöffel Wasser, Zimt und Äpfel in einen Topf geben. Einmal zum Kochen bringen, dann die Hitze reduzieren und 4-5 Minuten köcheln lassen.
2. In der Zwischenzeit die Vanilleschote mit a2 aufschneiden.
3. Vanillegrieß-Zubereitungsschritt 2

4. In der Zwischenzeit die Vanilleschote mit einem scharfen Messer aufschneiden und das Fruchtfleisch herauskratzen. Milch, Vanillepulpe und Salz zum Kochen bringen.

5. Grieß mit Rohrzucker mischen und langsam mit einem Schneebesen in die leicht kochende Milch einrühren, wieder zum Kochen bringen. Nehmen Sie den Topf vom Herd und lassen Sie den Grieß abgedeckt 4 Minuten lang anschwellen.

6. In der Zwischenzeit die Walnüsse hacken. Rühren Sie den Grieß gut um und gießen Sie ihn in Schalen. Die Äpfel und Nüsse darauf legen, mit Zitronenmelissenblättern garnieren und servieren.

Quarkcreme mit Beeren

Zutaten

- 300 g Sahnequark (40% Fett)
- 80 g Kokosmilch
- 3 EL Leinöl
- 70 g Beerenmischung
- 10 g gehackte Mandelkerne

Vorbereitungsschritte

1. Mischen Sie den Quark mit Kokosmilch und 2 Esslöffel Leinöl.

2. Die Beeren sortieren, waschen und trocken tupfen. Braten Sie die Mandeln in einer Pfanne ohne Fett bei mittlerer Hitze 3 Minuten lang.
3. Füllen Sie den Quark in zwei Schalen, garnieren Sie ihn mit Beeren, restlichem Leinöl und gerösteten Mandeln.

Gebackener Hafer

Zutaten

- 200 g Haferflocken
- 1 Prise Salz
- 50 g Walnüsse (oder andere Nüsse)
- 200 g Beere
- 180 ml Mandelgetränk (Mandelmilch)
- 1 Vanilleschote (Fruchtfleisch)
- 5 g Kokosöl (1 Teelöffel; geschmolzen)
- 1 EL Honig
- griechischer Joghurt nach Belieben

Vorbereitungsschritte
1. Haferflocken in eine große Schüssel geben und 400 ml kochendes Wasser darüber gießen. Eine Prise Salz hinzufügen, alles umrühren und 10 Minuten einweichen lassen.

2. In der Zwischenzeit die Walnüsse grob hacken und die Beeren waschen. Mandelmilch, Vanillepulpe, Walnüsse und Beeren zu den Haferflocken geben und gut umrühren.

3. Eine Auflaufform (ca. 26 x 20 cm) mit dem geschmolzenen Kokosöl bestreichen und die Haferflocken-Beeren-Mischung darin verteilen. Alles mit Honig bestreuen und im vorgeheizten Backofen bei 180 ° C (Konvektion 160 ° C; Gas: Stufe 2–3) ca. 20–25 Minuten backen.

4. Den fertig gebackenen Hafer heiß servieren. Nach Belieben mit griechischem Joghurt und frischen Beeren garnieren.

Frischkäse-Toast mit Feigen

Zutaten
- 200 g Vollkornroggenbrot (4 Scheiben)
- ¼ Vanilleschote
- 130 g Frischkäse (30% Fett in Trockenmasse)
- 1 EL Honig
- 1 Prise Zimt
- 4 Feigen
- 2 Stiele Minze
- 30 g Pistazienkerne (2 EL)

Vorbereitungsschritte

1. Die Brotscheiben 3–4 Minuten in einem Toaster rösten. In der Zwischenzeit die Vanilleschote längs halbieren und das Fruchtfleisch mit einem Messer herauskratzen. Mischen Sie den Frischkäse mit Honig, Vanillepulpe und Zimt.
2. Feigen putzen, waschen und in Keile schneiden. Waschen Sie die Minze und pflücken Sie die Blätter ab. Pistazien hacken.

3. Die gerösteten Brotscheiben mit Frischkäse bestreichen, die Feigen darauf verteilen und mit Minze und Pistazien bestreuen.

Erdbeer trinkendes Müsli

Zutaten
- 150 g reife Erdbeeren (10 reife Erdbeeren)
- 40 g Joghurt (1,5% Fett) (2 EL)
- 150 ml Milch (1,5% Fett)
- ½ TL Kokosblütenzucker
- ¼ TL Vanillepulver
- 20 g Haferflocken (sofort; 2 EL)

Vorbereitungsschritte
1. Erdbeeren waschen, trocken tupfen, reinigen und grob hacken.

2. Die Erdbeerstücke mit Joghurt, Milch, Kokosblütenzucker, Vanillepulver und Haferflocken in einen hohen Behälter geben. Alles mit einem Stabmixer pürieren und sofort als Trinkmüsli servieren.

Muffins mit Apfel und Karotte

Zutaten
- 1 Apfel
- 150 g Karotten
- 1 TL Zitronensaft
- 125 g Vollkornmehl
- 50 g zartes Haferflocken
- 1 Prise Salz
- 2 TL Backpulver
- 1 TL Backpulver
- 2 Eier
- 60 g Rohrzucker
- 60 ml Rapsöl
- 50 ml Buttermilch

Vorbereitungsschritte
1. Apfel und Karotte waschen und fein reiben. Mit Zitronensaft mischen.

2. Mischen Sie das Mehl mit Haferflocken, Salz, Backpulver und Backpulver. Schlagen Sie die Eier mit dem Zucker schaumig. Öl einrühren und Mehlmischung abwechselnd mit Buttermilch untermischen, bis ein zäher Teig entsteht. Die Apfel-Karotten-Mischung unterheben.
3. Die Muffinform mit Papiereinlagen auslegen und den Teig auf den Einlagen verteilen. Backen Sie die Muffins in einem auf 200 ° C vorgeheizten Ofen (Heißluftofen 180 ° C; Gas: Stufe 3) etwa 25 bis 30 Minuten lang, lassen Sie sie dann in den Formen kurz abkühlen, nehmen Sie sie aus den Formen und lassen Sie sie abkühlen .

Chia Joghurt Pudding

Zutaten

- 100 g Kiwi (2 Kiwis)
- 600 g kleine reife Mango (2 kleine reife Mangos)
- 500 g Joghurt (1,5% Fett)
- 2 EL flüssiger Honig
- 60 g Chiasamen

Vorbereitungsschritte

1. Die Kiwis schälen und in Scheiben schneiden. Die Mangos schälen, das Fruchtfleisch vom Stein nehmen und in kleine Würfel schneiden. Die Hälfte der Früchte auf 4 Gläser verteilen.

2. Mischen Sie den Joghurt mit Honig zu einer glatten Creme. Die Chiasamen einrühren und die Joghurtcreme auf die Fruchtstücke in den Gläsern verteilen.

3. Decken Sie die Sahne mit dem Rest der Frucht ab und lassen Sie den Chia-Pudding etwa 2 Stunden oder über Nacht im Kühlschrank einweichen. Genießen Sie zum Frühstück oder dazwischen.

Keto-Brei mit Brombeeren

Zutaten

- 300 ml Mandelgetränk (Mandelmilch)
- ¼ TL Vanillepulver
- 30 g Hanfsamen
- 20 g Mandelmehl (teilweise entölt)
- 30 g getrocknete Kokosnuss
- 2 TL Leinsamen
- 1 Prise Salz

- 20 g Mandelkerne
- 50 g frische Brombeere (alternativ gefroren und aufgetaut)
- 2 EL Mandelbutter
- 1 TL Sonnenblumenkerne
- 1 TL Kürbiskerne

Vorbereitungsschritte

1. Das Mandelgetränk und das Vanillepulver in einem Topf erhitzen. Hanfsamen, Mandelmehl, getrocknete Kokosnuss, Leinsamen und Salz mischen, hinzufügen und bei mittlerer Hitze ca. 5 Minuten einweichen lassen. Gelegentlich umrühren.
2. In der Zwischenzeit die Mandeln hacken. Brombeeren waschen und sortieren und trocken tupfen.
3. Ketobrei in Schalen geben und mit gehackten Mandeln, Brombeeren, Mandelbutter, Sonnenblumenkernen und Kürbiskernen garnieren.

Vollkornbrot mit Walnussaufstrich

Zutaten

- 240 g Vollkornbrot (8 Scheiben)
- 15 g Butter (1 EL; Raumtemperatur)
- 200 g körniger Frischkäse
- 125 g fettarmer Quark

- 100 g grüne Pfefferolive (abgetropftes Gewicht; Glas)
- 50 g Walnusskerne
- Salz-
- Weißer Pfeffer
- 1 Prise Paprikapulver
- 2 Zweige Thymian

Vorbereitungsschritte
1. Brot mit Butter bestreichen. Den körnigen Frischkäse in eine Schüssel geben, mit einer Gabel zerdrücken und mit dem Quark mischen.
2. Die Oliven und 2/3 der Walnüsse grob hacken.
3. Mischen Sie die Oliven mit Walnüssen in den Frischkäse und würzen Sie mit Salz und Pfeffer. Das Brot mit Walnussquark bestreichen und mit etwas Paprikapulver bestreuen.
4. Den Thymian waschen, trocken schütteln, die Blätter abreißen, mit Brot bestreuen und auf 4 Tellern anrichten.

Herzhafte Räucherlachsscheiben

Zutaten
- ½ Zitrone
- 75 g Frischkäse (13% Fett)
- Salz-

- Pfeffer
- 5 Stiele Kerbel
- 4 Scheiben Vollkornroggenbrot
- 1 kleine rote Zwiebel
- 100 g Räucherlachs

Vorbereitungsschritte

1. Die Zitrone halbieren und auspressen. Frischkäse in einer Schüssel cremig rühren. Mit Salz, Pfeffer und Zitronensaft würzen.
2. Den Kerbel waschen, trocken schütteln, die Blätter zupfen, hacken und unter den Frischkäse rühren.
3. Die Brotscheiben im Toaster oder unter dem vorgeheizten Ofengrill leicht rösten. Zwiebel schälen und in feine Ringe schneiden.
4. Brot mit Frischkäse bestreichen und mit Lachsscheiben belegen. Die Zwiebelringe darauf verteilen und das Brot servieren.

Rote-Bete-Brot

Zutaten

- 6 Blatt Kapuzinerkressen
- 80 g Vollkornroggenbrot (2 Scheiben)
- 2 TL geriebener Meerrettich (Glas)
- 120 g gekochte Rote Beete (eingeschweißt; geschält)

- Salz-
- 2 Kapuzinerkresseblüten

Vorbereitungsschritte

1. Kapuzinerkresseblätter waschen und trocken schütteln.
2. Die Brotscheiben mit je 1 Teelöffel Meerrettich bestreichen.
3. Rote Beete abtropfen lassen, mit Küchenpapier trocken tupfen und in dünne Scheiben oder Streifen schneiden.
4. Die Brotscheiben mit Rote Beete und Kresseblättern bedecken. Leicht salzen und mit den Kresseblüten servieren.

Skyr mit Erdbeeren und Haferflocken

Zutaten

- 200 g Skyr
- 60 g fester Naturjoghurt (1,5% Fett)
- 200 g Erdbeeren
- 2 TL Leinöl
- 60 g herzhafte Haferflocken
- 10 g zerkleinerter Leinsamen (2 EL)
- 10 g Sesam (2 TL)
- 1 EL Goji-Beeren

Vorbereitungsschritte

1. Den Skyr mit Joghurt glatt rühren. Erdbeeren putzen, waschen und in kleine Stücke schneiden.
2. Die Beeren auf den Skyr legen, mit dem Leinöl beträufeln und mit Flocken, Leinsamen, Sesam und Goji-Beeren bestreut servieren.

Gebackene Spinatnester mit Ei

Zutaten

- 1 Knoblauchzehe
- 1 Zwiebel
- 1 kg frische Spinatblätter
- 2 EL Rapsöl
- Muskatnuss
- Salz-
- Pfeffer
- 4 Eier

Vorbereitungsschritte

1. Knoblauch und Zwiebel schälen und sehr fein würfeln.
2. Reinigen Sie den Spinat, waschen Sie ihn gründlich und lassen Sie ihn in einem Sieb leicht abtropfen.
3. Das Rapsöl in einem Topf erhitzen, die Zwiebel und den Knoblauch bei mittlerer Hitze glasig dünsten.

4. Fügen Sie Spinat hinzu, während Sie tropfnass sind, und lassen Sie ihn unter Rühren zusammenfallen. Ein wenig Muskatnuss einreiben, mit Salz und Pfeffer würzen.
5. Den Spinat in eine Schüssel geben und etwas abkühlen lassen.
6. Den Spinat in 4 Portionen teilen. Formen Sie mit Ihren Händen 4 feste Kugeln und drücken Sie sie gut über eine Schüssel. Ein Backblech mit Pergamentpapier auslegen.
7. Legen Sie die Spinatbällchen auf das Backblech. Drücken Sie zuerst ein wenig flach und bilden Sie dann eine Aussparung in der Mitte.
8. Schlagen Sie die Eier einzeln über eine kleine Schüssel und schieben Sie eines in jede Vertiefung.
9. Backen Sie die Spinatnester in einem auf 200 ° C vorgeheizten Ofen (Konvektion 180 ° C, Gasstand: 3) auf dem 2. Rost von unten 15 bis 20 Minuten lang. Mit Salz und Pfeffer würzen.

Joghurtknödel auf einem Erdbeerspiegel

Zutaten

- 1 Tasse Joghurt (0% Fett, Griechisch)
- 1 Packung Qimiq
- 1 Tasse Schlagsahne

- 2 EL Birkengold
- 1 Zitrone (Bio, nur Schale)
- 1/2 kg Erdbeeren (frisch oder gefroren)

Vorbereitung

1. Für die Joghurtknödel auf Erdbeerebene zuerst den Qimiq glatt rühren und die Schlagsahne steif schlagen.
2. Joghurt, Schlagsahne und Quimiq mit Birkengold und Zitronenschale mit einem perforierten Holzlöffel mischen - idealerweise einige Stunden in den Kühlschrank stellen. Die Erdbeeren vom Stiel nehmen und pürieren. Wenn Sie gefrorene Erdbeeren verwenden, lassen Sie die Erdbeeren zuerst ein wenig auftauen und pürieren Sie sie dann.
3. Etwas Erdbeersauce auf einen Teller geben. Knödel mit einem Löffel aus der Joghurtmischung herausschneiden und auf die Erdbeersauce legen.

Joghurtknödel mit Beerenpüree

Zutaten
- 250 ml Joghurt
- 250 ml Schlagsahne
- 100 g Puderzucker
- Zitronenschale
- Vanillezucker

- 6 Blatt Gelatine
- 500 g Beeren (frisch oder gefroren)

Vorbereitung

1. Die Gelatine in kaltem Wasser einweichen und ausdrücken.
2. Joghurt, Puderzucker, Vanillezucker und Zitronenschale mischen. 2 Esslöffel dieser Joghurtmischung mit der Gelatine erhitzen, bis sie geschmolzen ist. Nun in den Rest der Joghurtmischung ziehen und abkühlen lassen.
3. Bevor die Masse zu stagnieren beginnt, fügen Sie die Schlagsahne hinzu.
4. Die gewaschenen (oder aufgetauten) Beeren mit dem Stabmixer hacken, ggf. süßen und auf Desserttellern verteilen.
5. Knödel aus der Joghurtmischung einstechen und auf das Beerenpüree legen.

FAZIT

Diabetes ist daher auf unzureichendes Insulin oder die schlechte Funktion dieses Hormons zurückzuführen. Insulin trägt zur Speicherung von Glukose, Aminosäuren und Fettsäuren bei. In dieser Datei haben wir über Blutzucker und die beiden häufigsten Arten von Diabetes gesprochen. Es gibt jedoch andere Arten von Diabetes, die spezifischer sind.

Diese Krankheit ist ein echtes Problem. Manchmal tritt Typ-1-Diabetes bei Menschen auf, die älter als die Altersgruppe sind, die typischerweise von diesem Diabetes betroffen ist. Am besorgniserregendsten ist jedoch, dass Typ-2-Diabetes immer mehr junge Menschen betrifft. Dieser Diabetes kann durch eine schlechte Ernährung verursacht werden.

Wir können daher vermeiden, Typ-2-Diabetiker zu werden, indem wir auf unsere Ernährung und körperliche Aktivität achten. Eine Person mit Diabetes hat ein höheres Risiko, an Herz-Kreislauf-Erkrankungen zu erkranken als eine Person ohne Diabetes. Deshalb ist die Lebenserwartung einer Person mit Diabetes kürzer. Im Jahr 2005 war Diabetes in den meisten Industrieländern die vierthäufigste Todesursache.